Dos o más...

Dos o más...

Claves para la crianza de gemelos, trillizos o más

Karen Kerkhoff Gromada,
M.S.N., R.N., I.B.C.L.C.
Mary C. Hurlburt, C.C.C.C.

Traducción:
Olga Martín Maldonado

GRUPO
EDITORIAL
norma

Bogotá, Barcelona, Buenos Aires, Caracas, Guatemala,
Lima, México, Panamá, Quito, San José,
San Juan, Santiago de Chile, Santo Domingo

Kerkhoff Gromada, Karen
Dos o más ... : Claves para la crianza de gemelos,
trillizos o más / Karen Kerkhoff Gromada y Mary C.
Hurlburt ; traductora Olga Martín Maldonado. -- Bogotá :
Editorial Norma, 2006.
296 p. ; 21 cm.
Título original : Keys to Parenting Multiples.
ISBN 958-04- 9595-5
1. Crianza de niños 2. Manejo de niños 3. Padres e hijos
4. Educación para la vida familiar 5. Embarazo múltiple -
Aspectos psicológicos I. Martín Maldonado, Olga, tr. II. Tít.
306.875 cd 19 ed.
A1085647

CEP-Banco de la República-Biblioteca Luis Ángel Arango

Título original:
KEYS TO PARENTING MULTIPLES
de Karen Kerkhoff Gromada y Mary C. Hurlburt
Publicado por Barron's Educational Series, Inc
250 Wireless Boulevard Hauppauge, New York 11788
Copyright © 2001 por Barron's Educational Series

Edición, Natalia García Calvo
Dirección de arte, Jorge Alberto Osorio Villa
Diseño de cubierta, María Clara Salazar

Este libro se compuso en caracteres AGaramond

ISBN 958-04-9595-5

Para nuestros esposos, Joe y Barry, y nuestros hijos, quienes nos apoyaron y nos dieron libertad para escribir este libro.

Introducción

Bienvenida al emocionante mundo de las familias con gemelos, trillizos o más. La llegada de más de un bebé al mismo tiempo añade una dimensión nueva y especial a la dinámica familiar, y sea cual sea su reacción al descubrir que está esperando varios bebés en vez de uno solo, le aseguro que ésta es normal. Casi todos los futuros padres de más de un bebé experimentan sentimientos positivos y negativos. Por eso, es probable que un día se sienta emocionada y otro día se sienta petrificada.

Estamos en una época estupenda para tener más de un hijo al mismo tiempo. Si usted está esperando gemelos, tiene más probabilidades que hace diez años de que el embarazo llegue a término y de dar a luz a bebés con buen peso. Con las técnicas de detección temprana y con un buen cuidado prenatal, muchos embarazos de tres o más bebés también llegan casi a término. Asimismo, el índice de supervivencia y desarrollo normal de los bebés prematuros y de bajo peso ha aumentado muchísimo.

Criar a varios hijos que nacen al mismo tiempo no es igual que criar a varios hijos de edades cercanas; la crianza es más complicada desde un principio. Estos embarazos deben ser controlados más de cerca y es muy distinto amar y compenetrarse con dos o más hijos al mismo tiempo que con uno solo.

Los gemelos, los trillizos, los cuatrillizos, o más, son fascinantes. Todo el mundo se maravilla con ellos, y sus padres se sienten especiales, *y lo son*. El crecimiento personal de estos padres también es enorme. Al dejar de lado todo lo que no es esencial para su vida, aprenden a organizarse y a dar prioridad a ciertas cosas. Estos hijos les enseñan a ser tolerantes y a desarrollar empatía hacia otras personas que están en situaciones inusuales. Al afrontar nuevos retos todos los días, los padres se dan cuenta de que pueden manejar casi cualquier cosa. Además, desarrollan el sentido del humor, porque lo necesitan; se ríen cuando sus hijos gemelos hacen cosas muy divertidas, y en días frenéticos, el humor puede ser lo único que los mantenga unidos como pareja. Cada uno (tanto el padre como la madre) tiene distintos puntos de referencia acerca de cómo criar a sus hijos, y la relación que surge entre los hermanos gemelos (trillizos o más) incidirá en la mayoría de las decisiones que se tomen. El hecho único de ser *uno* entre *varios* será, siempre, una parte íntima y vital de la identidad de los niños y de las decisiones de los padres. Sin embargo, si no cuentan con los recursos adecuados, los padres sentirán que están inventando el agua tibia al buscar las herramientas necesarias para la crianza de estos hijos.

Con este libro, nuestro objetivo es ofrecer apoyo y sugerencias prácticas y estimular a los lectores a disfrutar la individualidad de su familia y la de cada uno de sus hijos. Desde el nacimiento de nuestros gemelos, hemos trabajado con muchísimos padres de gemelos, trillizos, etcétera. Entre 1981 y 1992 publicamos un boletín informativo internacional para padres llamado *Double Talk*. También hemos trabajado, y seguimos trabajando, con grupos de apoyo y conversación. Este libro es una compilación de nuestras experiencias personales y de la información que hemos recogido en el trabajo con los padres, a través del cual hemos aprendido que si bien hay situaciones constantes que suelen surgir con los nacimientos múltiples, cada familia es única.

Una pregunta que oímos con frecuencia es la siguiente: ¿Hay vida después de un parto múltiple? Sí, la hay. Mary ha adelantado estudios en finanzas y ofrece asesorías sobre la crianza de gemelos, trillizos o más. Karen, asesora en relaciones laborales y administrativas, aconseja, año tras año, a miles de padres de gemelos, trillizos y más, y ofrece charlas para profesionales de la salud acerca de los embarazos múltiples. Nuestros hijos gemelos son profesionales universitarios y cada uno ha hecho ya su propia vida.

La crianza de gemelos, trillizos y más es una experiencia que dura toda la vida, y el hecho de ser padres de estos hijos empieza a formar parte de nuestra propia identidad. Usted pertenece a un grupo selecto que tiene el privilegio de disfrutar esta experiencia única de "naturaleza versus crianza", que nos hace preguntarnos sobre el impacto que tienen nuestra estructura genética y las influencias ambientales en el adulto en que nos convertimos. ¡Disfrútela! ¡Nosotras seguimos disfrutándola!

MARY C. HURLBURT, C.C.C.C
KAREN KERKHOFF GROMADA, M.S.N., R.N., I.B.C.L.C

Contenido

Introducción vii

1 Concebir más de un bebé 1

2 Padres y doctores: un trabajo en equipo 8

3 Factores de riesgo 16

4 Disminuir los riesgos 22

5 Lo que debe saber… por si acaso 29

6 Disminuir los riesgos 34

7 Intervenciones médicas 39

8 Escoger al pediatra 45

9 ¿Cómo se llamarán los bebés? 49

10 Productos para el cuidado del bebé 52

11 Regreso al trabajo 58

12 El gran día 62

13 Los días inmediatamente posteriores al parto 71

14 Los bebés en la UCIN 79

15 ¿Pecho o biberón? 86

16 Darles pecho 90

17 Darles biberón 100

18 Combinar el pecho y el biberón 105

19 Determinar la cigocidad 113

20 Empezando a conocer a sus bebés 117

21 El proceso afectivo 120

22 Fortalecer los lazos 126

23 La diferenciación inicial 130

24 Asuntos de individualidad 136

25 Cómo ven a sus bebés las otras personas 140

26 Los nuevos sentimientos de la madre 144

27 Los sentimientos del padre 150

28 Buscar tiempo para la pareja 153

29 Los hermanos mayores 157

30 Crear una red de apoyo 161

31 Un período de ajuste en la rutina 166

32 El manejo del hogar 171

33 Cómo lidiar con el llanto 174

34 El sueño 180

35 Las salidas 186

36 Crecimiento y desarrollo: de 3 a 6 meses 194

37 Crecimiento y desarrollo: de 6 a 9 meses 206

38 Crecimiento y desarrollo: de 9 a 15 meses 215

39 Un mundo a prueba de niños 221

40 Cuando ya caminan: de 15 a 36 meses 226

41 Energía combinada 232

42 Disciplina 238

43 ¡Adiós a los pañales! 245

44 El preescolar: tres años para el kinder 250

45 El colegio: ¿juntos o separados? 256

46 Los primeros años escolares 261

47 Situaciones especiales 266

Preguntas y respuestas 271

Glosario 278

Concebir más de un bebé

1

El diagnóstico es definitivo. Varios bebés crecen dentro de usted. ¿Cómo sucedió esto? ¿Qué hace que uno conciba gemelos, trillizos o más? ¿Por qué es usted la afortunada que espera más de un bebé? En este apartado hablamos de cómo se desarrollan los gemelos, los trillizos, los cuatrillizos o más, y quiénes tienen más posibilidades de concebirlos.

La concepción

El índice de los partos múltiples aumentó bastante durante las dos últimas décadas del siglo XX, principalmente como resultado de los avances en las técnicas de reproducción asistida. Entre 1980 y 1999, el parto de gemelos aumentó más de un 50 por ciento, y el número de nacimientos de tres o más bebés se incrementó en más de un 400 por ciento. A pesar de este enorme incremento, el nacimiento de trillizos, cuatrillizos y más, representa menos de una décima parte del 1 por ciento del índice de nacimientos en los Estados Unidos. La gran mayoría de los partos múltiples siguen siendo de gemelos, y en general nos seguimos refiriendo al proceso de concepción de más de un bebé como "embarazo gemelar".

Los gemelos idénticos. Aún no se sabe a ciencia cierta cuál es el porqué de los gemelos idénticos, pero sí el cómo. La vida de los gemelos idénticos empieza de la misma manera que la de un solo bebé. Un espermatozoide fecunda un óvulo, y la fecundación (la unión del espermatozoide con el óvulo) da lugar a una nueva célula individual llamada cigoto. El cigoto empieza entonces a dividirse rápidamente; primero en dos células, después en cuatro, ocho, dieciséis, y así sucesivamente. En algún momento durante el proceso de la división inicial de la célula, una mitad de las células del cigoto se separa completamente de la otra mitad. Ahora, en lugar de un solo cigoto hay dos, y son genéticamente idénticos.

En casi el 75 por ciento de los gemelos idénticos, el cigoto individual se implanta en la pared del útero antes de separarse en dos cigotos diferentes, de modo que estos gemelos idénticos comparten una sola placenta. También comparten la capa externa del saco amniótico, a la que muchos se refieren como la "bolsa de aguas". Esta capa externa del saco amniótico es el *corion* y la capa interna se llama *amnios*, pero muy pocos gemelos comparten también el amnios. Para hacerse una idea de cómo puede haber un solo corion pero dos amnios, imagínese el corion como un globo y los amnios como dos globos de agua dentro de éste.

En 1 a 2 por ciento de los gemelos idénticos, los bebés comparten tanto el corion como el amnios, de modo que los dos se mueven dentro del mismo saco lleno de líquido. Cuando los bebés comparten el mismo saco, los riesgos se incrementan. Por eso, al revisar las ecografías de los embarazos múltiples con una sola placenta, los obstetras esperan que el amnios esté separado. También es posible que el médico sugiera ciertas intervenciones durante el embarazo o en el parto para disminuir la posibilidad de que los bebés sufran complicaciones (en los apartados 4 a 7 encontrará información sobre cómo disminuir los riesgos).

Cerca de un 25 por ciento de los gemelos idénticos tiene placentas separadas. Cuando el cigoto original se separa para formar dos cigotos y los dos viajan hacia el útero a través de la trompa de Falopio, cada cigoto encuentra su propio lugar para implantarse en la pared del útero. Debido a esta separación previa a la implantación de cada cigoto, cada uno tiene su propia placenta.

Otra denominación para los gemelos idénticos es gemelos "monocigóticos", lo que quiere decir "gemelos de un cigoto". Como cada gemelo monocigótico se desarrolla a partir del mismo óvulo fecundado, los dos comparten la misma información genética. Por eso los gemelos idénticos son del mismo sexo, y tanto su apariencia física como su temperamento tienden a ser muy parecidos. Por lo general, es difícil distinguir a los gemelos idénticos si uno no los conoce bien. Aunque no ocurre con mucha frecuencia, también los trillizos, los cuatrillizos y los quintillizos pueden surgir de un mismo cigoto.

Los gemelos fraternos. La vida de los gemelos fraternos (o mellizos) empieza cuando la madre libera dos óvulos separados durante la ovulación y los dos son fecundados en la trompa (o en las trompas) de Falopio por dos espermatozoides distintos. Estos dos cigotos diferentes viajan hacia la pared uterina y se implantan en ella por separado, y cada uno desarrolla su propia placenta y su propio saco amniótico. A veces, los dos cigotos se implantan muy cerca el uno del otro y el borde de las placentas se fusiona, por lo que parece que comparten una sola placenta, pero en realidad son dos. Se puede practicar un examen de laboratorio para determinar si en realidad son dos placentas que se han fusionado. Si usted desea que le examinen la placenta, comuníqueselo a su ginecólogo u obstetra, pues éste no es un examen de rutina. (En el apartado 19 encontrará más información acerca de cómo determinar el tipo de gemelos.)

Otra denominación para estos gemelos es "dicigóticos", es decir "de dos cigotos". Los gemelos dicigóticos son hermanos que, por casualidad, habitan el útero al mismo tiempo y comparten la misma fecha de nacimiento. Son tan parecidos o tan distintos como cualquier tipo de hermanos, pues comparten cerca del 50 por ciento de la información genética. Los gemelos fraternos pueden ser del mismo sexo o distinto, y pueden parecerse mucho o muy poco, como a cualquier otro hermano o hermana.

Los trillizos, cuatrillizos, quintillizos y demás. Los trillizos, los cuatrillizos y demás pueden ser todos idénticos (monocigóticos) o fraternos (dicigóticos/policigóticos), o pueden ser una combinación de idénticos y fraternos. Las más famosas son las quintillizas idénticas Dionne, de Canadá. No es inusual que haya dos idénticos y dos o más fraternos.

¿Quién tiene gemelos, trillizos, cuatrillizos o más?

El índice de embarazos gemelares monocigóticos es más o menos el mismo en las mujeres de todas las razas y las culturas, y se mantiene en 1 por cada 250 nacimientos con vida. Al parecer, ni el factor hereditario ni ningún otro factor influye en su incidencia. No obstante, se ha reportado la existencia de varios gemelos idénticos dentro de algunas familias, un fenómeno que, muy probablemente, no es casual. Asimismo, la fecundación in vitro parece incidir en los embarazos gemelares.

Hay muchos factores que influyen en el índice de embarazos gemelares dicigóticos, y todos están relacionados con la liberación de más de un óvulo maduro durante la ovulación. Una mujer es más propensa a producir dos óvulos y concebir gemelos dicigóticos si:

1. Tiene una historia familiar de gemelos fraternos por el lado materno.
2. Ya ha dado a luz a gemelos dicigóticos.
3. Queda embarazada después de los 35 años por primera vez y sin recurrir a un tratamiento de reproducción asistida.
4. Ha tenido muchos embarazos.
5. Queda embarazada en los primeros tres meses de matrimonio.
6. Queda embarazada durante el primer período menstrual espontáneo en un "descanso" de pastillas anticonceptivas.

Las mujeres negras tienen un índice más alto de incidencia natural de embarazos gemelares dicigóticos que las blancas, quienes tienen un índice más alto que las asiáticas.

El índice de embarazos gemelares dicigóticos se ha incrementado enormemente en las últimas décadas. En los años setenta, los gemelos comprendían un 1,4 por ciento de los nacimientos con vida (en los Estados Unidos). El porcentaje ha aumentado y, ahora, un 2,4 por ciento de los nacimientos con vida son gemelos. La mayoría de estos gemelos son fraternos. Aunque el 1 por ciento no parece un gran aumento, al verlo dentro del número total de nacimientos, esta cifra refleja un incremento de casi un 40 por ciento en el número de nacimientos de gemelos entre 1980 y mediados de los noventa. Parte de este aumento se debe a que cada día más mujeres posponen el momento de tener hijos hasta después de los treinta años, pero la causa más importante está en el desarrollo de las técnicas de reproducción asistida.

Las mujeres que reciben medicamentos para la estimulación ovárica presentan un índice mucho mayor de embarazos gemelares dicigóticos porque estos medicamentos promueven la producción y la liberación de más de un óvulo en cada período menstrual. Éstos pueden ser recetados solos o combinados con otros mediccamentos para ayudar a que los óvulos maduren y a que la pared uterina se prepare para la implantación. También se pueden combinar con otras técnicas que aumentan la fertilidad, tales como la inseminación intrauterina, la fecundación in vitro y la transferencia intratubaria de gametos o cigotos, entre otras.

Cuando el tratamiento incluye medicamentos para la estimulación ovárica, sobre todo gonadotropinas, cerca de un 20 por ciento de los embarazos resultantes son embarazos múltiples, mientras que el índice de embarazos gemelares en la población general es de 1 a 2 por ciento. También es posible, por supuesto, que un cigoto individual, concebido después de que una mujer ha recibido inducción ovárica, se separe y dé lugar a gemelos idénticos.

El aumento de los embarazos de más de dos bebés se debe casi exclusivamente al uso de gonadotropinas para la estimulación ovárica, con o sin técnicas adicionales. Antes de los adelantos en las técnicas de reproducción asistida, estos embarazos eran algo muy raro. Sólo 1 de 7.000 partos era de trillizos. Se podía esperar el nacimiento de cuatrillizos cada 600.000 partos, y una vez en 47 millones nacían quintillizos.

Las técnicas de reproducción asistida afectaron el índice de partos de más de dos bebés de tal modo que, en 1980, 1 de cada 2.700 bebés hacía parte de un nacimiento múltiple de más de dos bebés, y a mediados de los noventas el índice aumentó a 1 de cada 655. Entre 1980 y el cambio de siglo, el índice de estos nacimientos aumentó cerca de un 350 por ciento.

Las técnicas de reproducción asistida en el siglo XXI

El bajo índice de embarazos múltiples por causas naturales podría sugerir que las mujeres están diseñadas para embarazos de un solo bebé. En la actualidad, los especialistas en medicina reproductiva investigan permanentemente para mejorar los agentes de estimulación ovárica y descubrir más acerca de su uso, con el fin de ayudar a las parejas a tener embarazos de un solo bebé y, de ese modo, evitar los riesgos de los embarazos múltiples. También están empezando a limitar el número de gametos (el óvulo y el espermatozoide antes de la fecundación) o de cigotos/embriones (los óvulos fecundados, en las diversas fases de la división celular) transferidos durante los procedimientos de reproducción asistida, lo que debería limitar el número de embarazos de más de dos bebés. Además, los avances en las técnicas de fecundación in vitro permiten que los especialistas puedan observar el desarrollo de los cigotos durante más tiempo para, así, transferir cigotos más "sanos".

Este es sólo el principio de la ciencia de la reproducción asistida, y es muy probable que los embarazos múltiples, sobre todo los gemelares, sigan aumentado durante varias décadas. Pero claro, ¡las técnicas futuras no le dirán mucho a una pareja que ya está esperando dos bebés o más!

2 | Padres y doctores: un trabajo en equipo

En el momento de desarrollar estrategias para que el embarazo y el nacimiento de sus bebés sean lo más seguros posible, usted y su médico forman un equipo inseparable. El médico aportará la experiencia profesional, pero usted conoce su cuerpo mucho mejor que él. Además, se trata de sus bebés, y usted será la responsable de su cuidado a lo largo de los próximos veintitantos años; asimismo, algunas de las decisiones que tome durante el embarazo pueden afectar el cuidado que tendrá que darles cuando hayan nacido.

El impacto del embarazo y el parto dura toda una vida. Tanto usted, la persona más afectada por estos hechos, como su pareja, que también se preocupa por los bebés, deberían discutir acerca del grado de participación que desean tener en cada decisión.

Participación en el cuidado de sí misma

¿Cómo puede participar en decisiones acerca de la asistencia médica y el cuidado del embarazo si no tiene experiencia en esto? Hay muchas cosas que todas las futuras madres pueden hacer:

1. Escoger un ginecólogo u obstetra que respete sus decisiones y tenga experiencia en embarazos múltiples.

2. Examinar cuáles son sus necesidades personales y sus expectativas ante esta experiencia.
3. Leer acerca de los embarazos y los partos múltiples.
4. Plantear a los especialistas sus preguntas acerca de esta experiencia.

Escoger asistencia médica de un especialista. Un embarazo múltiple no es lo mismo que un embarazo de un solo bebé, por tanto, usted debe decidir si su ginecólogo-obstetra de cabecera es el más adecuado para acompañarla en esta ocasión. Si está esperando más de dos bebés, lo más probable es que la remitan a un especialista conocido como "perinatólogo", pero los embarazos gemelares también son muy distintos a los embarazos de un solo bebé. Un obstetra debe estar informado acerca de las diferencias de los embarazos y los partos múltiples y debe estar preparado para explicar cuáles son esas diferencias y cómo piensa tratarlas. Asimismo, el obstetra también debe evaluarla y tratarla a usted y a su embarazo como algo único, pues los embarazos múltiples no son todos iguales, y la asistencia médica debe ser individual.

Si ha estado viendo a un especialista en medicina reproductiva, es probable que ya le tenga confianza. Sin embargo, muchas mujeres tienen que buscar a un nuevo médico en cuanto quedan embarazadas, y dicen que les toma tiempo alcanzar la confianza necesaria. Usted se sentirá en control de la situación y más capaz de desarrollar esa confianza si habla con distintos obstetras hasta encontrar uno que tenga experiencia en embarazos múltiples y que esté dispuesto a apoyar sus metas personales ante el embarazo y el parto.

Necesidades y metas personales. La flexibilidad es muy importante en los embarazos y los partos múltiples porque es más probable que surjan situaciones que requieran intervención médica. En todo caso, hacerse una idea de cuáles son sus propias metas puede darle una pauta en el momento de escoger a un obstetra especializado. Además, esto le ayudará a comprometerse en este proceso que atañe tanto a su salud como a la de sus bebés.

Piense en cuál sería su respuesta a preguntas como: ¿Hasta qué punto desea participar o estar en control de su experiencia del embarazo y el parto? ¿Qué es lo más importante para usted cuando piensa en el parto? (Lleve su respuesta más allá del deseo normal de la salud de sus bebés y piense en el tipo de parto que desea experimentar). Al determinar lo que es importante para usted, tendrá una idea de cuáles son sus metas personales y las preguntas que desea plantearle al obstetra acerca del manejo de su embarazo y su parto. Otras preguntas pueden ser:

- ¿El obstetra sigue siempre una misma rutina con todos los embarazos múltiples o es más bien flexible? ¿Cuáles elementos considera cruciales al monitorear un embarazo múltiple?

- ¿Qué intervenciones médicas suelen recomendarse más durante los embarazos y los partos múltiples que en los de un solo bebé?

- ¿Cuáles son los criterios para decidir si los bebés deben nacer por parto vaginal o por cesárea? ¿Cuántos partos gemelares vaginales y cuántos por cesárea ha atendido el obstetra? ¿Piensa éste que se puede tener un parto vaginal de más de tres bebés?

- ¿El embarazo múltiple implica un cambio en la medicación o en las opciones de anestesia? Si la respuesta es afirmativa, ¿en qué se diferencian las opciones?

- ¿Cómo recomienda el obstetra que debe prepararse para las diversas situaciones relacionadas con los embarazos y los partos múltiples? ¿El obstetra la considera a usted como otro miembro más del equipo de asistencia médica o espera que cumpla sus recomendaciones a todo lugar?
- ¿El obstetra tiene "privilegios" para el parto en un hospital con una buena unidad de cuidados intensivos neonatales?

En cuanto haya escogido al obstetra, puede pensar en dónde desea dar a luz.

- ¿Qué opciones hay disponibles en el hospital donde piensa dar a luz? ¿Estas opciones se corresponden con sus metas?
- ¿El hospital tiene una normativa relacionada con el manejo de los embarazos y los partos múltiples? Si la respuesta es afirmativa, ¿cuál? ¿Es una normativa rígida o permite cierta flexibilidad?
- ¿El hospital está dotado para todas las idiosincrasias asociadas con los partos múltiples? Por ejemplo, ¿puede acoger a los bebés prematuros o enfermos en la unidad de cuidados intensivos neonatales o deben transferir a otro hospital a los recién nacidos que presentan situaciones determinadas? ¿Qué tan lejos está la mejor unidad de cuidados intensivos neonatales? ¿Bajo qué circunstancias estarán más seguros usted y sus bebés en un hospital preparado para todo tipo de complicaciones? ¿Qué piensa usted de la posibilidad de separarse de uno o más de sus bebés si tuvieran que transferir a alguno?

Un hospital con una unidad de cuidados intensivos neonatales (UCIN) "nivel III" provee el mejor cuidado para los bebés prematuros o muy enfermos. Si sus bebés nacen en un hospital con una UCIN nivel I o II y son muy prematuros o están muy enfermos, tendrán que ser transferidos a una unidad donde puedan recibir un cuidado más específico. Con el fin de evitar la necesidad del traslado y la separación de la madre y los bebés, para los partos de más de dos bebés se suele recomendar un hospital que cuente con una UCIN nivel III. También es la mejor opción para el parto de gemelos a las 34 semanas de gestación, o antes.

Muchos padres que están esperando más de un hijo elaboran un "plan de preferencias para el parto" que cubra las siguientes situaciones:

1. El parto vaginal de un embarazo a término completo (o casi completo) de cada bebé.
2. La cesárea programada para todos los bebés.
3. El parto vaginal o por cesárea, de urgencia, del segundo o el tercer bebé.
4. El parto prematuro.
5. El nacimiento de uno o más bebés enfermos que requieran cuidado intensivo.
6. La incidencia de una complicación que afecte a la madre.

Por lo general, para el nacimiento de más de dos bebés se programa una cesárea, pero suele ser muy útil elaborar un plan que especifique cuáles son sus preferencias.

Revise con el obstetra su plan de preferencias para el parto y haga copias para su esposo, el obstetra y quienes vayan a estar con usted durante el parto.

Material de lectura. Hay muchos libros especiales para los padres que están esperando más de un bebé. Algunos se enfocan específicamente en el embarazo y el nacimiento. Los más útiles ponen el énfasis en la prevención de las complicaciones comúnmente asociadas con los embarazos múltiples, pero también se enfocan en la detección temprana y el tratamiento de esas complicaciones si se presentan. Las clases especiales para el parto múltiple complementan el material de lectura, y la interacción con otras parejas y con el instructor le ayudarán a prepararse aun mejor. (En los apartados 3 y 4 encontrará más información al respecto.)

Preguntar. Ninguna pregunta acerca de su salud y la de sus bebés durante el embarazo estará de más. Aparte de las preguntas que tienen que ver con sus expectativas personales frente al embarazo, haga preguntas que comiencen con "Quién", "Qué", "Cuándo", "Cómo", "Dónde" y "Por qué", pues éstas requieren una respuesta más detallada.

Es probable que usted no pueda tomar decisiones conscientes si no plantea preguntas del estilo de: "¿Usted recomienda...?" o "¿Qué evidencia científica hay... si gano una cantidad x de kilos; llevo tal tipo de dieta; me hacen ecografías periódicas; dejo de trabajar; me someto a un reposo estricto; tomo medicamentos para prevenir o detener el parto prematuro; monitoreo las contracciones uterinas y permito al médico medir la longitud del cuello del útero o hacerme la prueba de fibronectina fetal; cuento los movimientos fetales durante una hora todos los días, o prefiero que me hagan pruebas sin estrés?"

¿Por qué preguntar "por qué"? El concepto clave en la asistencia médica actual es "la atención sanitaria basada en la evidencia". Esto se refiere a la utilización de intervenciones y tratamientos que han resultado útiles o efectivos en pruebas de investigación. A los futuros padres se les debe informar si se ha comprobado que el tratamiento es efectivo o si hay un poco más que una pequeña posibilidad de que funcione. También se les debe advertir cuáles son los posibles efectos secundarios.

Muchos de los tratamientos y las intervenciones que se suelen recomendar durante los embarazos múltiples tienen pocas investigaciones sobre las cuales apoyarse, y algunos tienen efectos secundarios perjudiciales. Además, los distintos médicos definen los términos y los tratamientos de diversas maneras. Puesto que usted será la más afectada por cualquier intervención o tratamiento, debe estar bien informada acerca de los riesgos y los beneficios potenciales para después tomar sus decisiones con el obstetra. (En el apartado 7 encontrará una descripción más detallada de las intervenciones médicas.)

Los doctores y las parteras que están seguros de su saber y sus habilidades reciben las preguntas con gusto. Ellos entienden que cuidarse a sí mismas y a sus bebés no es sólo un derecho de sus pacientes, sino su responsabilidad. Y saben que es más probable que usted acceda a someterse a un tratamiento si comprende las razones. Si el médico no parece estar dispuesto o en capacidad para responder sus preguntas o para explicarle el por qué de cualquier recomendación, o si usted se siente incómoda con el cuidado que está recibiendo, tiene todo el derecho a buscar una segunda opinión o a cambiar de médico.

Otras preocupaciones

Comuníquele al obstetra los sentimientos que le produce el hecho de estar esperando más de un bebé. Comparta con él sus miedos ante el embarazo o el parto y cuéntele si le preocupa la idea de volver a casa con más de un bebé. Usted debe poder contar con su médico si desea información acerca de organizaciones de padres de familias múltiples y demás grupos de apoyo, así como material informativo y referencias de otros médicos que puedan ayudarle, tales como nutricionistas, consultores para la lactancia, *doulas* (personas entrenadas para ayudar a la madre durante el parto) y psicólogos.

Las últimas consideraciones

No todo el mundo tiene las mismas expectativas ante los embarazos y los partos múltiples. Quizás usted desee asumir un rol activo en la toma de decisiones, o tal vez prefiera quedarse en la retaguardia y confiar plenamente en su médico. Nadie puede decirle cómo debe sentirse ni hasta qué punto participar. No obstante, es muy importante que usted y su pareja se sientan cómodos con el médico. Si usted se siente satisfecha con la manera como su médico maneja las preguntas y las situaciones de rutina, con seguridad confiará en su juicio en caso de que surja una situación inesperada.

Para lograr el mejor resultado, tanto para usted como para los bebés, es indispensable trabajar en equipo. Ni usted ni su médico pueden lograrlo solos. El obstetra debe contar con su colaboración para brindarle una atención a la medida de sus necesidades y las de sus bebés. Al seguir un tratamiento, la experiencia del médico es tan importante como la disposición de la madre. Usted recibirá la mejor atención sólo si se toma el tiempo necesario para analizar sus sentimientos y después hacer preguntas que le ayudarán a comprender las recomendaciones médicas.

3 | Factores de riesgo

El embarazo múltiple es calificado automáticamente como embarazo "de alto riesgo". Esto significa que hay más probabilidades de que surjan ciertas complicaciones durante el embarazo y el parto, pero no quiere decir que necesariamente habrá complicaciones.

Complicaciones comunes en los bebés

Las complicaciones más comunes en los bebés de embarazos múltiples son: *bajo peso al nacer*, asociado con el parto y el nacimiento *prematuros*; *retardo o restricción del crecimiento intrauterino*, que también se conoce como *retardo o restricción del crecimiento fetal*; o una combinación de parto prematuro y retardo del crecimiento. Se considera que un bebé nace con bajo peso si pesa menos de 2500 gramos; si pesa 1500 gramos, o menos, se considera *de muy bajo peso*, lo que también se conoce como *peso extremadamente bajo al nacer*.

El bajo peso al nacer es algo serio porque estos bebés son más propensos a padecer dificultades físicas durante el parto y después de nacer y, por tanto, es probable que requieran atención en una unidad de cuidados intensivos neonatales. Los bebés con bajo peso y muy bajo peso tienen más riesgos de sufrir diversas enfermedades durante el primer año de vida, sobre todo ciertas afecciones respiratorias. Los retrasos en el desarrollo también son más comunes entre los bebés con bajo peso al nacer, y ciertas afecciones neurológicas (como la parálisis cerebral) son más comunes en bebés con muy bajo peso al nacer.

Aproximadamente 6 por ciento de los bebés de un embarazo individual tiene bajo peso al nacer, y sólo 1 por ciento presenta muy bajo peso. En cambio, más de la mitad de los gemelos presenta bajo peso al nacer, y el 10 por ciento sufre de muy bajo peso. Más del 90 por ciento de los trillizos presenta bajo peso, y de estos trillizos, más del 30 por ciento puede ser clasificado como de muy bajo peso. Por cada bebé adicional en un embarazo múltiple, el número de bebés con bajo peso y muy bajo peso aumenta.

Parto prematuro. El embarazo también se conoce como el período de gestación, y usted oirá hablar de estos dos términos. Un embarazo normal dura entre 38 y 42 semanas, y la duración promedio de gestación de un solo bebé está entre 39 semanas y 39 semanas y media. Sin embargo, la duración promedio de los embarazos múltiples se reduce tres semanas por cada bebé adicional. Por esta razón, los embarazos de gemelos suelen ser de unas 36 semanas, los de trillizos de 33 semanas, y los de cuatrillizos y quintillizos de 30 a 31 semanas.

Cualquier bebé que nace antes de las 37 semanas se considera *prematuro*, y un bebé que nace antes de las 33 semanas se considera *muy prematuro*. Más del 50 por ciento de los gemelos y del 90 por ciento de los trillizos nace antes de las 37 semanas, mientras que menos del 10 por ciento de los bebés de los embarazos individuales nace antes de las 37 semanas. Menos del 2 por ciento de los bebés de embarazos individuales son muy prematuros, mientras que casi el 14 por ciento de los gemelos y más del 40 por ciento de los trillizos entran en esta categoría. El parto prematuro está asociado con la inmadurez del cuerpo del bebé y de sus sistemas físicos, y esta inmadurez se refleja en el bajo peso de los bebés prematuros.

Retardo o restricción del crecimiento intrauterino/fetal. La gama promedio en el peso de un feto o un recién nacido se conoce por cada semana de gestación. Cuando el peso de un recién nacido está por debajo del percentil 10 para su edad gestacional, ya sea un bebé que nace a término o prematuro, se considera "pequeño para la edad gestacional". En este caso, el crecimiento del feto se restringe de alguna manera durante su desarrollo en el útero de la madre.

Un poco más del 9 por ciento de los recién nacidos de embarazos individuales son pequeños para la edad gestacional, mientras que más del 35 por ciento de los gemelos y más del 90 por ciento de los trillizos son pequeños para la edad gestacional, incluso nacidos después de las 37 semanas. Los bebés de embarazos individuales y los gemelos siguen una curva de crecimiento parecida hasta las 30 semanas de gestación, momento en el cual el ritmo de crecimiento de los gemelos empieza a disminuir. Por cada bebé adicional se advierte una disminución en el ritmo de crecimiento una o dos semanas antes.

El grado de restricción del crecimiento suele ser distinto para cada feto, y se dice que el crecimiento de los bebés es discordante. Cuando los bebés tienen placentas individuales, es posible que una placenta se desarrolle más que otra, de manera que alguno de los fetos tiene más acceso a los nutrientes que le ayudan a crecer. A veces, cuando los gemelos monocigóticos (idénticos) comparten la misma placenta, se desarrollan unas conexiones entre los vasos sanguíneos. El resultado de esto puede ser una cantidad desproporcionada de sangre fetal circulando en la placenta para llegar sólo a uno de los gemelos, lo que se conoce como el "síndrome de transfusión fetal". El gemelo "donante" recibe menos sangre, sufre de anemia y su crecimiento se restringe, mientras que el gemelo "receptor" recibe más sangre y crece más. Las consecuencias de estas conexiones vasculares varían dependiendo del tipo de vasos sanguíneos implicados y del grado que alcance la transfusión. Cerca de 1 a 2 por ciento del 75 por ciento de gemelos monocigóticos que comparten una placenta presenta un tipo grave de síndrome de transfusión fetal que puede amenazar la vida de los dos bebés.

Complicaciones comunes en las madres

Hipertensión inducida por el embarazo. La hipertensión inducida por el embarazo, conocida como preeclampsia o toxemia, es la complicación más común en un embarazo y la probabilidad de que se desarrolle durante un embarazo múltiple es el doble o el triple. No se sabe bien cuál es su causa, pero suele caracterizarse por diversos cambios físicos en la madre embarazada; cambios como un marcado aumento de la presión arterial, presencia de proteína en la orina y un aumento repentino y grande de peso debido a una severa retención de líquidos. Sin embargo, en los embarazos múltiples esta complicación no sigue siempre el curso típico, y es posible que los síntomas de alerta varíen (ver apartado 5).

Anemia. La anemia por deficiencia de hierro es muy común durante los embarazos múltiples y está asociada con un alto riesgo tanto para la madre como para los bebés. Las mujeres anémicas son más propensas a desarrollar la preeclampsia, alguna infección o una hemorragia posparto, y los bebés son más propensos a padecer un parto prematuro, retardo del crecimiento y bajo peso al nacer si la madre estuvo anémica durante el embarazo.

Hemorragia posparto. Un sangrado excesivo o una hemorragia después de dar a luz es más común en los partos múltiples y suele estar relacionada con varios factores o con una combinación de factores. Un útero que se ha agrandado o distendido más de la cuenta, debido al tamaño y al peso de dos o más bebés, puede tener dificultades para contraerse con fuerza después del parto. Una o dos (o más) placentas grandes ocupan más espacio dentro del útero, por tanto, el espacio del que proviene el sangrado es mucho más grande, pues la mayor parte del sangrado posparto proviene de los lugares donde se implantaron las placentas. Con frecuencia, la hemorragia se debe al sangrado proveniente de una zona más grande, combinado con un útero que no puede contraerse bien. Sin embargo, los medicamentos utilizados durante los embarazos y nacimientos múltiples, como el sulfato de magnesio (para los partos prematuros o la hipertensión inducida por el embarazo) y la oxitocina (para inducir o acelerar el parto) pueden contribuir con las condiciones asociadas con la hemorragia. Las madres que esperan más de un bebé deben ser controladas muy de cerca durante su estadía en el hospital para detectar cualquier señal de hemorragia.

Los riesgos en términos realistas

Aunque las complicaciones son más comunes en los embarazos múltiples, es posible prevenir algunos problemas y minimizar otros durante los embarazos gemelares. Muchas mujeres tienen embarazos gemelares sanos y sin complicaciones. Concéntrese en estar dentro del 55 por ciento que da a luz a las 37 semanas (o después), o en el casi 50 por ciento que tiene bebés que pesan más de 2.500 gramos al nacer. ¿Quién sabe? Después de oír, mes tras mes, que debería estar preparada para dar a luz temprano, tal vez descubra que está dentro del 14 por ciento de las gestaciones que llegan a término o dentro del casi 20 por ciento que tiene bebés que pesan más de 3.000 gramos.

Muy pocos embarazos de más de dos bebés terminan libres de complicaciones. No obstante, hay cosas que la madre puede hacer para disminuir la incidencia de ciertas complicaciones y para reducir los efectos de otras. En el apartado 4 encontrará una descripción de cómo reducir los riesgos en cualquier tipo de embarazo múltiple.

4 | Disminuir los riesgos

¿Qué pueden hacer las madres?

Los riesgos asociados con los embarazos múltiples son menores para una mujer que en el momento de la concepción goza de buena salud, está bien alimentada y no fuma. Si ya ha experimentado un embarazo a término completo, el riesgo es aun menor. La salud durante el embarazo da pistas sobre la habilidad del cuerpo para adaptarse al estrés añadido por varios fetos. Un buen funcionamiento cardiovascular es especialmente importante, ya que el sistema cardiovascular es esencial para el desarrollo y el mantenimiento de una o dos placentas grandes.

La placenta es el órgano con menos vida y a la vez el más sorprendente del cuerpo humano. Durante el embarazo, proporciona a los bebés los nutrientes y el oxígeno que necesitan para crecer y desarrollarse, al mismo tiempo que elimina los desperdicios a través de la circulación de la madre. También produce hormonas que ayudan a mantener el embarazo.

Los cambios físicos del embarazo, los cuales ayudan al buen funcionamiento de la placenta, son más grandes durante los embarazos múltiples. Además de tener que cubrir más espacio dentro del útero, la gran cantidad de fluido (plasma) que se desarrolla y circula a través de los vasos sanguíneos de la madre (volumen sanguíneo expandido), así como las grandes reservas de nutrientes, contribuyen con la salud de la(s) placenta(s).

¿Qué deben hacer las madres?

La dieta de la madre parece ser de gran importancia para ayudar a que cada placenta se mantenga saludable. Por eso, de todo lo que puede hacer, lo más importante es comer lo suficiente para ustedes tres, cuatro o cinco. Al vivir en una cultura en la que la gracia es estar delgada, es fácil confundir los cambios del embarazo múltiple con estar gorda. Probablemente usted tendrá que recordarse a sí misma que no está engordando... ¡está esperando dos, tres o más bebés saludables!

Hay muchos aspectos del embarazo múltiple que están fuera de su control, pero usted puede controlar qué come y cuánto. Se necesitan muchísimos alimentos nutritivos para apoyar los cambios físicos que se producen durante el desarrollo de dos o más bebés en crecimiento.

Las comidas y los refrigerios diarios deben estar compuestos de alimentos de todos los grupos alimenticios, y esto incluye las grasas. En todos los embarazos se suelen prescribir vitaminas y minerales suplementarios, como hierro, y en los embarazos múltiples son especialmente importantes.

Así como los cambios físicos en el embarazo múltiple tienden a ser exagerados, cualquier cosa que la madre se lleve a la boca puede tener un efecto positivo o negativo exagerado en la salud de los bebés y en su(s) placenta(s). Esto incluye cosas que no sean alimentos, como suplementos nutricionales, vitamínicos, minerales y herbales, así como el cigarrillo, la cafeína, el alcohol y todos los medicamentos, ya sean recetados o no por un médico.

- Algunos *medicamentos* que tienen poco efecto en un cuerpo no embarazado pueden ocasionar efectos secundarios peligrosos en la madre o en los bebés durante el embarazo. Antes de tomar cualquier medicamento hable con el farmacista o con su obstetra.

- Durante un embarazo múltiple, es posible que a la madre se le aconseje tomar *mayores dosis* de ciertas *vitaminas* o *minerales*. Sin embargo, es importante hablar antes con el obstetra o con un nutricionista sobre los beneficios y los riesgos de dichos suplementos. No todos los tipos ni todas las dosis son seguros.

- El *cigarrillo* está asociado, desde hace mucho tiempo, con una incidencia mayor de partos y nacimientos prematuros, problemas de la placenta, preeclampsia y otras complicaciones. Hay estudios que muestran cuáles son los peligros del consumo de cigarrillo durante el embarazo.

Aumento de peso. El aumento de peso es un indicador de qué tan bien se está adaptando su cuerpo al embarazo múltiple. En los embarazos múltiples, un aumento elevado de peso suele estar asociado con una mayor duración de la gestación y con un mayor peso de los bebés al nacer.

En un embarazo gemelar se recomienda un aumento de al menos unos 18 a 20,5 kilos. En los embarazos gemelares que llegan a término suelen ser comunes los aumentos de 20,5 a 23 kilos, y los dos bebés suelen pesar más de 2500 gramos cada uno.

En los embarazos de trillizos, un aumento de peso mayor a 23 kilos se asocia con una mayor duración de gestación y bebés más grandes. Las mujeres que esperan cuatrillizos o más deberían aumentar por lo menos 23 kilos, más 2,25 kilos por cada feto adicional.

En un embarazo gemelar se recomienda un aumento semanal de medio kilo, aproximadamente, durante las primeras 20 a 24 semanas, y de 0,7 kilos durante las semanas restantes. En embarazos de trillizos y cuatrillizos, el aumento promedio por semana aumenta. Algunas mujeres aumentan una cantidad constante semana tras semana, o mes tras mes. Otras aumentan por rachas, con aumentos menores al promedio durante semanas (o meses) y aumentos mayores al promedio después.

Las náuseas y los posibles vómitos matinales en los primeros meses suelen ser más severos en los embarazos múltiples y, como consecuencia, la madre no aumenta de peso o incluso pierde un poco. Algunas mujeres parecen compensar esta pérdida al ganar más del promedio en cuanto desaparecen las náuseas.

Un embarazo múltiple *no* es el momento para hacer dieta o limitar el aumento de peso. Un aumento mayor a lo usual (0,7 kilos por semana) puede ser completamente saludable, siempre y cuando la presión arterial se mantenga dentro de los límites normales, la madre no experimente hinchazones repentinas y la orina no contenga cantidades considerables de proteína. En todo caso, si el aumento de peso está muy por debajo o por encima del promedio recomendado, la madre debe ser controlada más de cerca.

Es poco probable que la pérdida de peso después del parto sea un problema si la dieta consistió en alimentos *nutritivos*. Procure comer los alimentos en su estado más natural posible para evitar calorías vacías, aditivos innecesarios y altos niveles de sal. No obstante, una dieta libre de sal tampoco es deseable, pues para tener un embarazo saludable es importante consumir un poco de sal.

Durante los embarazos múltiples es más común sufrir fuertes náuseas y vómito, lo que se conoce como hiperémesis gravídica (*hyperemesis gravidarum*). Sin embargo, es importante comer bien y empezar a ganar peso pronto. Muchas mujeres consumen alimentos a base de almidones, como galletas de sal o pan, antes de salir de la cama por la mañana. Consumir alimentos más insípidos y fáciles de digerir puede ser mejor para su estómago, hasta que las náuseas desaparezcan. Comer porciones pequeñas y frecuentes suele ayudar a minimizar las náuseas o el malestar de estómago al comienzo del embarazo. Las náuseas muy fuertes requieren tratamiento médico, por tanto, comuníquele al obstetra si le cuesta retener los alimentos o los líquidos.

A medida que el embarazo avanza los bebés empiezan a ocupar mucho espacio y, por ende, su estómago tiene menos. Una opción es comer varias comidas pequeñas y frecuentes en lugar de tres comidas grandes al día. Los expertos también recomiendan tomar refrigerios cada hora o cada dos.

Algunas mujeres consideran que los suplementos líquidos ricos en proteínas proveen los nutrientes necesarios y que son más suaves con el estómago durante la última etapa del embarazo, pero es importante consultar esto con el obstetra o con el nutricionista. Algunos de estos suplementos pueden no ser apropiados para un embarazo múltiple.

Líquidos. Durante un embarazo múltiple hay mucho líquido extra en circulación, por tanto, la madre se siente más sedienta. Es normal que el volumen sanguíneo se expanda para responder a las exigencias del cuerpo de la madre embarazada, de los fetos que están creciendo y de la(s) placenta(s) que los alimenta(n). No obstante, mientras que en un embarazo individual el aumento del volumen sanguíneo es del 50 por ciento, en un embarazo gemelar es del 75 por ciento, y en el de más de dos bebés es casi del 90 al 95 por ciento. ¡Eso sí que es líquido extra!

No pase por alto la sed. Beba jugos de pura fruta, leche o agua cada vez que tome un refrigerio o una comida. Si en algún momento se siente preocupada por su hidratación, observe su orina. Debe ser de color amarillo pálido. Si es más oscura, beba más líquidos.

La deshidratación puede estar asociada con el parto prematuro, una complicación común en los embarazos múltiples, y después de un episodio de parto prematuro se suele recomendar *reposo estricto*. Sorprendentemente, una mujer necesita beber más líquidos y no menos durante el reposo, porque éste afecta la secreción de la hormona antidiurética, la cual ayuda a mantener suficiente líquido en los tejidos del cuerpo. Es posible que durante el reposo estricto la madre pierda mucho líquido a través de la orina y el sudor (en el apartado 8 encontrará más información acerca del reposo estricto).

Vitaminas y minerales. Es probable que le prescriban hierro y ácido fólico, debido a que la anemia es más común en los embarazos múltiples. Aunque los alimentos ricos en hierro son beneficiosos, tendría que consumir cantidades enormes de estos alimentos para conseguir el hierro extra necesario durante un embarazo múltiple. Los suplementos de hierro a veces causan náusea o estreñimiento, así que puede preguntar por otra alternativa si el médico le prescribe tomar hierro.

La consulta con el nutricionista. Los centros médicos especializados en embarazos de alto riesgo suelen incluir dentro de su equipo a un nutricionista especializado en nutrición perinatal. Una consulta al comienzo del embarazo puede proporcionarle ideas para reducir los riesgos. La guía de un nutricionista puede ser especialmente útil si usted:

1. Fuma.
2. Tenía sobrepeso o su peso normal estaba bajo en el momento de la concepción.
3. Ha padecido algún trastorno alimentario.
4. Consume una dieta especial, por ejemplo, vegetariana.
5. Está embarazada de más de dos bebés.

También debe consultar a un nutricionista perinatal si tiene dificultades para aumentar el peso suficiente, o si padece una enfermedad o una complicación que afecte la nutrición. El reposo estricto puede suprimir el apetito y afectar el balance de líquidos en el cuerpo, de manera que es importante consultar a un nutricionista sobre cómo mantener el aumento de peso.

Mi dieta es perfecta, pero...

Sin importar qué tan bien coma una mujer durante el embarazo múltiple, se puede presentar una complicación. Muchos de los factores que contribuyen con las complicaciones están fuera de nuestro control y muchas son impredecibles. No obstante, lo más probable es que tanto usted como sus bebés logren salir adelante, a pesar de cualquier complicación, si ha comido bien y ha ganado el peso suficiente durante el embarazo.

5 Lo que debe saber... por si acaso

Los obstetras siguen muy de cerca los embarazos múltiples, pero la madre embarazada es la que mejor conoce su propio cuerpo. Usted puede ayudarle muchísimo a su médico si es consciente de cuáles son las señales que indican las complicaciones más comunes.

Parto prematuro. Para que los bebés tengan más tiempo para crecer, usted debe aprender a *conocer su propio útero.* Pídale al obstetra que le enseñe a palpar su contorno. Familiarícese con la manera como éste se siente normalmente al tacto para poder reconocer una contracción uterina, en la que se tensiona o se "embomba". Aunque es posible que tenga contracciones ocasionales, indoloras, preste atención a los cambios respecto a qué tan suelto o tensionado se siente el útero al tacto durante distintos niveles de actividad. Fíjese con qué frecuencia se dan las contracciones. Al hacerse sensible a la manera como se siente su útero al tacto, usted podrá estar alerta ante cualquier cambio inusual.

El nacimiento múltiple prematuro a veces se puede evitar o detener si la madre reconoce las señales y toma las medidas adecuadas. Si llega a sospechar en cualquier momento un parto prematuro, *no* espere a ver si los síntomas desaparecen. *Acuéstese, beba mucho líquido* y *llame al obstetra* DE INMEDIATO si experimenta *uno* de los siguientes síntomas:

- Cuatro contracciones uterinas (aunque sean indoloras) a lo largo de una hora.
- Presión pélvica intermitente o continua.
- Dolor en la parte baja de la espalda o cólicos (como los premenstruales) intermitentes o continuos.
- Cualquier incremento en el flujo vaginal, incluyendo mucosidad, sangre o agua.

Crecimiento fetal y desarrollo. Usted puede ayudar a controlar el bienestar de sus bebés contando sus movimientos diarios durante el último trimestre. A partir de la semana 28 de un embarazo gemelar, o de la semana 24 de un embarazo de más de dos bebés, cuente las patadas a lo largo de una hora de descanso, siempre a la misma hora, todos los días. Algunas madres pueden distinguir los movimientos de cada bebé, pero a otras les es imposible. Haga el conteo diario de patadas aunque no pueda identificar cuál bebé patea.

Tenga a la mano papel y lápiz para anotar cada vez que siente el menor movimiento fetal y cuente el número total de movimientos; el promedio es más o menos cinco movimientos por bebé (diez para los gemelos, quince para los trillizos, y así sucesivamente) por hora. No se preocupe si la cantidad de movimientos es un poco menor que el promedio, es posible que haya escogido un momento de menor actividad o que los bebés estén dormidos. Trate de contar en otro momento del día, o hágase consciente de los patrones diarios si el momento más adecuado para usted es cuando los bebés están descansando.

Notará que hay menos movimiento cuando los bebés se acercan al momento de nacer y el útero está más lleno. En todo caso, llame a su médico cada vez que sienta un aumento o una disminución *considerable* en la actividad de alguno de los bebés.

Preeclampsia o *hipertensión inducida por el embarazo*. Durante un embarazo múltiple, las mujeres desarrollan esta condición con más frecuencia y los síntomas pueden surgir más abruptamente o progresar con más velocidad. Puesto que la enfermedad afecta tanto a las madres como a los bebés, la detección temprana es fundamental para minimizar las consecuencias. Es de vital importancia cumplir con todas las citas de atención prenatal para que el médico pueda monitorear la presión arterial, el aumento de peso y la orina. Comuníquele al obstetra INMEDIATAMENTE cualquier hinchazón rápida del cuerpo (edema), dolor en la parte superior del estómago, fuerte dolor de cabeza, visión nublada o disminuida o si ve moscas o luces chispeantes frente a los ojos.

Con frecuencia, en los embarazos múltiples se presenta una forma más severa de preeclampsia conocida como síndrome de HELLP (por sus siglas en inglés: anemia hemolítica [H], aumento de las enzimas hepáticas [EL] y bajo conteo de plaquetas [LP]). Si una mujer padece preeclampsia durante el embarazo múltiple, los médicos la examinarán de cerca en busca de cualquier señal del síndrome de HELLP para poder intervenir de inmediato. Una intervención que a veces se hace necesaria es el parto prematuro de los bebés.

Las investigaciones recientes han reportado una menor incidencia de la preeclampsia en las mujeres "en riesgo" cuando éstas han tomado vitaminas y minerales específicos como parte de su dieta. Sin embargo, *no* tome dosis de vitaminas o minerales más altas a las usuales sin consultar antes con el médico.

Recomendaciones que "no hacen daño, pero no es seguro que funcionen"

Además de comer bien y aumentar el peso suficiente, es posible que le sugieran diversas recomendaciones para disminuir los riesgos asociados con el embarazo múltiple.

Descanso y ejercicio. Hacia las semanas 20 a 24 de un embarazo gemelar, muchos médicos recomiendan tomarse entre 30 y 60 minutos diarios para descansar, con los pies apoyados o acostada de lado. Debido al elevado riesgo de parto prematuro, al menos a partir de la semana 30 (o antes), prepárese para empezar su licencia de maternidad y para buscar a alguien que le ayude con las labores domésticas más pesadas.

La mayoría de los obstetras estimulan a las madres para que hagan ejercicios suaves y "actividades vitales" durante el embarazo gemelar si no se detecta ninguna señal de parto prematuro. Sin embargo, se desaconsejan los ejercicios intensos que hacen sudar porque una actividad excesiva está asociada con el aumento de las contracciones uterinas.

Si usted está esperando más de dos hijos, es probable que hacia las semanas 20 a 24 (o antes) le aconsejen limitar sus actividades a las más sencillas de la vida diaria. A partir de entonces, prepárese para quedar bajo "arresto domiciliario" y tomar descansos frecuentes, lo que significa que necesitará pedir antes la licencia de maternidad en su trabajo.

Restricciones en la actividad íntima. La oxitocina y las prostaglandinas son hormonas asociadas con las contracciones uterinas. Debido al elevado índice de parto prematuro, algunos obstetras sugieren evitar una exposición innecesaria a estas hormonas durante el embarazo múltiple. Es probable que se le recomiende evitar la actividad sexual que implique estimulación de los pezones o que produzca el orgasmo femenino puesto que en los dos casos se libera oxitocina. Para evitar la exposición del cuello uterino a las prostaglandinas, los obstetras suelen recomendar el uso del condón ya que el semen contiene prostaglandinas. Otras formas de intimidad son aceptables, pero consulte con el médico si tiene alguna pregunta.

Lactancia. La oxitocina también estimula el reflejo de "bajada" de la leche durante la lactancia. Si una mujer está esperando varios bebés y está amamantando a un bebé, es muy probable que se le recomiende destetarlo. El que el destete deba ser lento o abrupto dependerá del nivel de riesgo de parto prematuro en cada caso específico.

Técnicas alternativas. Las técnicas de relajación pueden prolongar algunos embarazos que están bajo riesgo de parto prematuro. Dentro de estas técnicas están: masajes corporales, relajación muscular progresiva, imaginería guiada, hipnosis o autohipnosis y *biofeedback* ("bio-retroalimentación"). Usted puede practicar sola o con su pareja algunas técnicas de relajación, y los momentos de descanso pueden proporcionarle la oportunidad perfecta para hacerlo; otras técnicas, en cambio, requieren la ayuda de un terapeuta.

Usted sí hace una diferencia

Las madres pueden disminuir la posibilidad de complicaciones en su embarazo múltiple al mantenerse informadas y activas en el cuidado prenatal. No tienen que "esperar a ver". Su participación en este proceso hace una gran diferencia.

6 | Disminuir los riesgos

¿Qué puede hacer el obstetra?

Una madre sana y unos bebés saludables son el resultado esperado por todos los obstetras. Los embarazos múltiples se monitorean más de cerca porque corren más riesgo de sufrir complicaciones, por eso se recomiendan visitas de cuidado prenatal y determinados exámenes con más frecuencia. Esta vigilancia constante sirve para confirmar que todo va bien, para detectar rápidamente una complicación y así minimizar las posibles consecuencias, y para no perder de vista a los bebés ni a la madre si se presenta una complicación.

Las herramientas de detección pueden proporcionar información valiosa sobre la salud y el bienestar de los bebés y la madre, y ayudan a guiar el uso de tratamientos durante el embarazo múltiple. No obstante, la mayoría de estas herramientas ofrecen información inexacta; por eso los futuros padres deben informarse bien para sopesar los beneficios y los riesgos que implica el uso de cualquiera de estas herramientas. También pueden preguntar por ellas si el médico no las menciona.

Descubrir el embarazo múltiple

Los exámenes de laboratorio suelen proporcionar la primera pista de que una mujer está esperando más de un bebé. Los

valores que se obtienen en estos exámenes, realizados comúnmente durante las primeras 20 semanas, son más altos en un
embarazo múltiple. Estas pruebas suelen medir la cantidad de
hormona gonadotropina coriónica humana y alfafetoproteína
en suero; el lactógeno placentario humano también es más alto
en estos casos. Por lo general, en cuanto aparece la primera
pista en los resultados se ordena una ecografía.

Las ecografías han posibilitado la detección de un embarazo múltiple pocas semanas después de la concepción.
Cuando ésta tiene lugar gracias a medicamentos de inducción ovárica o de técnicas de reproducción asistida, una
ecografía temprana es un examen de rutina. Esto ha permitido descubrir que un "gemelo evanescente" (es decir, cuando
uno [o más] embriones deja[n] de desarrollarse y desaparece[n]
en las siguientes ecografías), es un fenómeno bastante frecuente, aunque saberlo no disminuye el dolor que muchas
mujeres sienten cuando un embrión deja de desarrollarse. A
medida que el embarazo múltiple avanza, la ecografía se convierte en una ventana hacia la matriz y permite a los médicos
seguir de cerca a los pequeños que crecen en su interior.

Procedimientos de rutina

Los obstetras obtienen una información muy valiosa durante
las visitas prenatales. Pocas mujeres son conscientes de todo
lo que se puede averiguar a través de la observación frecuente, el control del peso, las muestras de orina, la lectura de la
presión arterial, la medición de la frecuencia cardiaca del feto
y la palpación del tamaño del útero, entre otros. Es posible
que a partir de la semana 24 el obstetra quiera ver con más
frecuencia a la madre que espera gemelos, y a partir de la
semana 12 a la madre que espera más de dos bebés.

Parto prematuro

El parto y el nacimiento prematuros son las complicaciones más comunes en los embarazos múltiples, y prevenirlos es uno de los objetivos principales de la atención obstétrica. Además de estar alerta ante los síntomas del parto prematuro, el obstetra monitoreará su embarazo para detectar otras señales físicas tempranas. Posiblemente utilizará diversos tipos de herramientas de detección, pero su uso variará dependiendo del obstetra, del lugar y del país.

- Durante el parto, la parte baja del útero (o cuello uterino) se ablanda, se adelgaza y se dilata para permitir el paso del bebé hacia la vagina. Muchos obstetras recomiendan evaluaciones frecuentes por medio de un examen manual o una ecografía transvaginal para controlar el tamaño del cuello uterino y su dilatación.

- La fibronectina fetal es una hormona que ayuda a que el corion se adhiera al útero, más o menos como un pegante. Ésta se suele encontrar en las secreciones vaginales a partir de la semana 22, pero entre las semanas 22 y 36 estas secreciones no deberían contener fibronectina. Cuando el resultado de un lavado vaginal es negativo en fibronectina, es muy poco probable que en las siguientes dos semanas se dé un parto prematuro, por lo menos. De todos modos, la detección de la fibronectina fetal en las secreciones *no* significa necesariamente que se vaya a dar el parto prematuro, pero su presencia alerta a la madre y al médico a prestar más atención a los síntomas.

Monitoreo fetal

La vigilancia fetal es el seguimiento que hace el obstetra de la salud y el bienestar de los bebés. Durante los embarazos múltiples, el médico monitorea cada feto por separado y los contempla en comparación con los otros. Es probable que utilice las siguientes herramientas de detección, pero su uso varía dependiendo del obstetra y de cada situación:

- La prueba del *estriol* salival busca un indicador hormonal que, si alcanza determinados niveles, le confirma al obstetra que los bebés están bien. Como con la prueba de la fibronectina fetal, un nivel más bajo sólo alerta al doctor a estar más atento, y un embarazo múltiple realmente puede "confundir" los resultados.

- Es posible que le ordenen una *ecografía* para controlar la cantidad de amnios y la presencia de conexiones vasculares en la placenta cuando los gemelos parecen ser monocigóticos monocoriónicos (ver clave 1). El índice de líquido amniótico, el cual se obtiene también por medio de una ecografía, puede ayudar al obstetra a medir y comparar la cantidad de este líquido en cada saco amniótico, lo que puede ser muy valioso si se sospecha o se ha diagnosticado el síndrome de transfusión fetal o retardo del crecimiento.

- A medida que el embarazo progresa, se realizarán ecografías consecutivas para monitorear el patrón de crecimiento de cada bebé y comparar sus tamaños. La actividad de los bebés y sus movimientos respiratorios se examinarán por separado o en conjunto mediante una "prueba sin estrés" para crear un "perfil biofísico". Se le ordenará una ecografía para medir el grado de madurez placentaria y, así, controlar las calcificaciones asociadas con el "envejecimiento" de la placenta. También se le ordenará un estudio de "velocimetría doppler" para observar el flujo sanguíneo a través de los cordones umbilicales de los fetos.

- Una *prueba sin estrés* mide la respuesta de la frecuencia cardiaca de los fetos al movimiento fetal a través de un equipo de monitoreo electrónico externo. Las respuestas (o reactividad) de los bebés dan pistas sobre su bienestar. Para medir la frecuencia cardiaca de los fetos, la madre debe usar un dispositivo sujetado a una correa elástica (se necesita una correa por cada bebé para poder monitorearlos al mismo tiempo). La prueba sin estrés se suele ordenar en caso de parto prematuro, señales de retardo del crecimiento en uno o más fetos y envejecimiento de la placenta, entre otros.

Ser parte del equipo

El seguimiento cercano ayuda al obstetra a obtener la información necesaria para evitar o minimizar los riesgos del embarazo múltiple. Gracias a la detección temprana de una complicación se puede empezar pronto un tratamiento o una intervención. Sin embargo, la ciencia aún está por descubrir muchas cosas acerca de los embarazos múltiples, de modo que los futuros padres deben estar alerta y hacer muchas preguntas sobre cualquier procedimiento de detección.

7 | Intervenciones médicas

Es posible que durante el embarazo múltiple se le practiquen diversos tipos de intervenciones, y algunas se sugieren con la esperanza de prevenir una complicación potencial. Una dieta nutritiva y un aumento de peso suficiente son ejemplos de recomendaciones que pueden ayudar a prevenir el parto prematuro, la restricción del crecimiento fetal o la hipertensión inducida por el embarazo. Tal vez se recomienden otras intervenciones o tratamientos si las pruebas de detección o los síntomas indican la posibilidad de una complicación.

En las últimas décadas, la medicina ha descubierto muchas cosas acerca del embarazo múltiple, pero todavía le queda un largo camino por delante antes de que se desarrolle la "mejor" manera de manejar los embarazos múltiples. Todavía hay muchos tratamientos e intervenciones cuya efectividad no se ha comprobado. Por tanto, los padres deben estar preparados para discutir los riesgos y los beneficios potenciales de las intervenciones comunes.

Tratamiento controversial

Cuando se presentan los síntomas de ciertas complicaciones, algunas intervenciones pueden ser muy beneficiosas y bastante adecuadas. Sin embargo, la controversia surge cuando no hay pruebas de que una intervención realmente previene una complicación determinada y cuando esa intervención puede tener efectos secundarios serios para la madre o los bebés. Una intervención se debe realizar sólo cuando las consecuencias potenciales de una complicación particular crean más riesgo para los bebés o la madre que los efectos potenciales de la intervención programada.

Algunas de las intervenciones que pueden ser útiles en ciertas situaciones pero que son consideradas controversiales si se recomiendan como rutina o antes de que aparezcan los síntomas, son:

- Regímenes de reposo estricto en cama.
- Uso de tocolíticos (medicamentos para inhibir las contracciones uterinas).
- Cerclaje cervical (sutura del cuello uterino para mantenerlo cerrado).
- Corticosteroides (medicamentos para "acelerar" el desarrollo pulmonar de los fetos).

Reposo en cama. Las recomendaciones de disminuir la actividad, no hacer ningún ejercicio fuerte, tener períodos frecuentes de reposo o empezar un "arresto domiciliario" con una licencia de maternidad temprana, pueden ser adecuadas incluso durante un embarazo gemelar saludable debido a la elevada irritabilidad uterina. En todo caso, no se ha comprobado que el reposo estricto prevenga el parto prematuro. Aunque algunos creen que esto ayuda a que la presión sobre el cuello uterino disminuya o que le "ahorra" energía a la madre, el reposo en cama no parece mejorar los resultados de los embarazos gemelares.

La investigación acerca de los reposos prolongados y estrictos en embarazos de más de dos bebés no ha llegado a una conclusión. Aunque la cantidad de estos embarazos ha aumentado, todavía son poco frecuentes, por lo que es difícil comparar los regímenes de reposo estricto con otros menos rigurosos.

El reposo estricto en cama, en el que la madre no se puede levantar nunca o sólo para ir al baño, se asocia con cambios psicológicos muy profundos que afectan todos los sistemas del cuerpo. Con frecuencia, la madre pierde peso porque su apetito disminuye y también pierde líquido debido al aumento de la sudoración y la orina; el cuerpo metaboliza los esteroides y el azúcar (glucosa) de distintas formas; el funcionamiento de la tiroides se ve afectado; al cabo de unos días, los músculos empiezan a encogerse y el sistema cardiovascular se desacondiciona, y si esto se prolonga, puede tardar varios meses en reacondicionarse después del parto. Es común que tanto la madre como el padre se depriman, especialmente cuando el reposo estricto se prolonga.

El reposo estricto puede ser la única opción disponible si hay un cambio cervical considerable (con o sin señales de parto prematuro) durante un embarazo gemelar o de más de dos bebés, pero nunca debe ser recomendado de manera informal o por rutina. Asegúrese de que el obstetra defina claramente lo que quiere decir con "reposo en cama" si se lo recomienda, pues este término no significa lo mismo para todos los obstetras.

Cuando el reposo estricto en cama es inevitable, la madre debe ser remitida a un nutricionista perinatal para mejorar su condición nutricional y para contrarrestar la potencial pérdida de peso y la disminución de líquidos. Una terapia física para mantener la fuerza de los músculos "maternales" y el acondicionamiento cardiovascular puede ser beneficiosa. Asimismo, es posible que la pareja necesite orientación para manejar los efectos psicológicos.

Tocolíticos. Un tocolítico es un medicamento que puede detener o disminuir las contracciones del útero. Estos medicamentos pueden ayudar a prolongar un embarazo múltiple en caso de parto prematuro, pero no hay pruebas de que lo prevengan. Las mujeres que toman tocolíticos durante el embarazo múltiple tienen más riesgo de padecer efectos secundarios severos en el corazón, los pulmones y el sistema circulatorio. Cuando se usan estos medicamentos se recomienda una supervisión cercana de la madre y los bebés.

Cerclaje cervical. Es una operación quirúrgica por medio de la cual se insertan unas suturas en el cuello uterino para prevenir o limitar la dilatación cervical en mujeres que tienen una historia recurrente de aborto espontáneo o parto prematuro debido a un cuello uterino débil o "incompetente" (es decir, la dilatación indolora del mismo). También se suele recomendar cuando se advierten cambios considerables en el cuello uterino antes de la semana 24. No obstante, *no* se ha comprobado que insertar un cerclaje durante un embarazo múltiple para prevenir la dilatación prematura del cuello uterino sea útil, y está asociado con un riesgo elevado de infección cervical y fiebre materna, lo que puede contribuir con el parto prematuro.

Corticosteroides. La salud de los bebés prematuros ha mejorado mucho desde que se descubrió que darle corticosteroides a la madre durante el parto prematuro "acelera" el desarrollo pulmonar de los fetos (este medicamento se suele conocer como *betamethasone*, *dexamethasone* o *celestone*). Esto ha dado como resultado menos casos, o casos menos severos, del síndrome de dificultades respiratorias en bebés prematuros. Aunque la inyección puede ser beneficiosa sin importar cuánto tiempo falte para el parto, los esteroides funcionan mejor cuando el nacimiento prematuro se puede retrasar 24 horas. El efecto dura unas siete semanas, por lo que se administran más inyecciones en los episodios posteriores de parto prematuro.

Los expertos recomiendan administrar esteroides si es probable que el parto prematuro se dé en los siete días siguientes o si una complicación obliga al obstetra a traer al mundo a los bebés prematuramente en los siete días siguientes. De lo contrario, no se recomienda una administración repetida o de rutina, ya que puede tener efectos negativos en las condiciones inmunológicas de la madre y se asocia con efectos secundarios en los bebés. En los embarazos de más de dos bebés, el uso de esteroides a veces aumenta las contracciones, por lo que la supervisión cercana de la actividad uterina es muy importante.

Reducción multifetal. Todos los riesgos asociados con el embarazo múltiple se incrementan cuando una mujer espera más de dos bebés. Una opción que los obstetras suelen recomendar al comienzo de un embarazo de más de dos bebés es la reducción multifetal, un procedimiento que disminuye el número de fetos con la esperanza de disminuir los niveles de riesgo para los bebés restantes y para la madre. Esta puede ser una opción difícil de considerar después de haberse esforzado tanto por quedar embarazada, y tomar esta decisión puede proyectar una pesada sombra sobre lo que debería ser una ocasión feliz. Como es de imaginarse, esta opción ha creado un dilema ético y moral para los padres y los médicos, quienes deben sopesar los elevados riesgos que el embarazo múltiple implica para los bebés y para la madre frente a la vida de uno, dos y posiblemente todos los bebés.

En el caso del embarazo de trillizos, la mayoría de las investigaciones indican que después de reducir el embarazo de tres a dos, los resultados para los bebés restantes no son mejores que en los embarazos de trillizos que no son reducidos. La reducción sí parece mejorar el resultado cuando se han concebido cuatro o más fetos. No obstante, los futuros padres deben ser conscientes de que la reducción multifetal se asocia con un riesgo bastante alto de perder todos los bebés.

Trabajar juntos

El rol del obstetra es especialmente importante para ayudar a minimizar el riesgo de complicaciones en el embarazo múltiple, y el rol de los futuros padres es igual de importante. Todos deben trabajar juntos y sopesar las opciones para alcanzar el mejor resultado: una madre sana y unos recién nacidos saludables.

8 | Escoger al pediatra

Busque a un pediatra o un médico familiar antes de la fecha esperada para la llegada de sus bebés. En los próximos años usted gastará mucho tiempo y dinero en el consultorio del pediatra, por eso debe encontrar a alguien con quien se sienta cómoda y segura. Escoger a alguien con quien usted se sienta identificada en cuanto al cuidado de los niños es tan importante como asegurarse de que esa persona tiene la formación apropiada. En este apartado encontrará ideas para buscar a la persona adecuada tanto para usted como para sus bebés.

El obstetra, las amigas que tengan hijos o los miembros de algún grupo local de madres de gemelos, trillizos y más, o de la Liga de la Leche, son buenos puntos de referencia para buscar pediatras recomendados. Piense que el lugar donde está ubicado el consultorio también es importante. Sin embargo, tenga siempre presente que no es una buena idea escoger al pediatra de sus bebés basándose *solamente* en que el consultorio está en un lugar conveniente o en la recomendación de otra persona.

En cuanto tenga su lista de recomendados, consulte la lista de su seguro médico para comprobar que los pediatras que planea entrevistar estén en ella. Estudie las indicaciones sobre cómo manejar situaciones de urgencia. ¿Debe llamar primero al pediatra antes de poder llevar al bebé a la sala de urgencias? Hoy en día los seguros plantean muchas restricciones.

Empiece por entrevistar a los pediatras a los 4 o 6 meses de embarazo, debido a la posibilidad de parto prematuro. Muchos pediatras recomiendan una visita prenatal de los padres, otros prefieren hablar con ellos por teléfono y otros prefieren que alguien de su equipo maneje estas entrevistas. La actitud del pediatra frente a la posibilidad de reunirse o hablar con los padres dice mucho acerca de su trato.

Si en el consultorio del pediatra trabaja una enfermera practicante certificada, piense en la posibilidad de entrevistarla a ella, pues sus servicios suelen ser menos caros y además suelen tener más tiempo para responder a las preguntas y preocupaciones.

Si usted vive en una ciudad, tendrá más opciones. Esto no quiere decir que si vive en un pueblo pequeño no tenga sentido entrevistar al único pediatra disponible. De todos modos, usted puede aprender muchas cosas al hablar con el profesional de la salud que se va a encargar de sus bebés antes de su llegada. Pregúntele si ya ha atendido a muchos gemelos o trillizos prematuros, y si ha descubierto algún asunto relacionado con el cuidado de los gemelos, trillizos o más que plantee una preocupación particular para los padres. Esto le puede dar una idea de la sensibilidad del pediatra ante su situación única.

Averigüe si hay alguien en el consultorio que tenga una especialidad, como neonatología o alergias, entre otras. ¿Con qué hospitales está afiliado?

¿Qué consideraciones especiales hará el pediatra si alguno de sus bebés es prematuro o tiene un problema de salud? ¿Prestará servicio a domicilio? ¿Se asegurará de que los bebés sean atendidos rápidamente al llegar al consultorio para evitar el contacto con niños enfermos, ya que los bebés prematuros o enfermos tienen menos resistencia ante las enfermedades contagiosas, incluyendo el virus sincitial respiratorio?

¿El pediatra conoce a especialistas en desarrollo e intervenciones tempranas y los programas relacionados con este tema?

Averigüe si el pediatra ofrece algún descuento para familias con más de un bebé. Muchos pediatras son conscientes de la presión económica que las visitas médicas plantean a estas familias. Por eso suelen cobrar la cuota completa para la inmunización de cada bebé y para el primer examen físico de cada uno, pero deducen entre un 50 y un 100 por ciento de los demás exámenes. Muchos pediatras también les proporcionan a los padres muestras gratuitas de medicamentos, vitaminas o leche de fórmula.

Al amamantar a sus bebés, usted se sentirá más segura si su pediatra muestra una actitud positiva ante esta idea. ¿Qué piensa el pediatra acerca de amamantar a los gemelos o a los trillizos? ¿Cuántos de los gemelos, trillizos, etcétera que ha atendido el pediatra han sido amamantados? ¿Qué piensa acerca del uso de la leche de fórmula como complemento o suplemento, o de cuándo empezar a comer sólidos? ¿El pediatra le recomienda buscar a una asesora en lactancia o un grupo de apoyo como la Liga de la Leche?

Visite el consultorio del pediatra y examine las instalaciones físicas. ¿Qué tan fácil sería llevar a los bebés desde el auto hasta allí sin la ayuda de otro adulto? ¿Hay rampas y ascensores donde quepan las sillitas para más de un bebé, o tendrá que utilizar escaleras en algún momento? ¿Cuántas puertas debe atravesar? ¿Son fáciles de abrir? ¿Las salas de espera y los consultorios son seguros a prueba de niños?

Pregunte si el consultorio tiene una sala de espera especial para los niños que posiblemente tienen enfermedades contagiosas. Si sólo uno de sus bebés se contagia usted tendrá que cuidar a varios bebés enfermos, ¡así que tiene aun más razones para querer evitar enfermedades innecesarias!

Puesto que usted tendrá que estar pendiente de más de un bebé en la sala de espera, pregúntele a la recepcionista qué hora de atención es la más adecuada para que el doctor los atienda rápido. Usualmente, las primeras citas de la mañana y las de después del almuerzo son atendidas de inmediato; después de esas citas, es probable que la sala de espera se llene.

¿Hay algún momento especial en que usted pueda llamar al pediatra para plantearle sus preguntas acerca del crecimiento o la salud de sus bebés? En el proceso de conocer a dos o más bebés, usted tendrá muchas más preguntas y dudas que los padres de uno solo. Algunos pediatras apartan una o dos horas para atender llamadas que no son urgentes para que los padres no sientan que lo están "molestando".

No hay un pediatra que sea el más adecuado para todos los bebés y todos los padres. Si en algún momento no se siente contenta con la atención que están recibiendo sus bebés, o por cualquier otra razón, tiene todo el derecho a llevarlos adonde otro doctor. Si se toma el tiempo de entrevistar a los pediatras antes del nacimiento de sus bebés, tiene más probabilidades de sentirse satisfecha con su elección.

9 | ¿Cómo se llamarán los bebés?

Decidir cómo se llamarán sus bebés, al igual que todos los aspectos de la crianza de los gemelos, trillizos, cuatrillizos, etcétera, es más complicado que con uno solo. Un nombre permite que una persona se distinga entre las masas y se identifique como un individuo único. En este caso, el nombre también los distingue entre sí.

Al principio, puede parecer divertido ponerles nombres que combinen: Daniel, Gabriel y Miguel (rima); Rosa, Violeta y Margarita (flores); Manuel y Manuela (versión masculina y femenina del mismo nombre), o Ángela y Adriana (asonancia). Esto estimula a la gente a verlos como una unidad y no como individuos. ¿Usted desea criar hijos que se sientan orgullosos de hacer parte de un grupo pero que no estén limitados a él, o desea poner énfasis en la unidad?

Las entrevistas con gemelos adultos indican que a algunos les molesta tener nombres que combinen y que a otros no les importa. Sus bebés aún no han nacido, así que tenga en cuenta los siguientes factores:

- Los nombres que riman —Juana, Mariana y Bibiana— pueden dificultar el desarrollo de la individualidad. También tienden a crear confusión. Piense en la cantidad de veces que tendrá que oír preguntas y comentarios como: "¿Quién?" o "¡Pensaba que te referías a ella, no a mí!"

- A los amigos, parientes y profesores les cuesta recordar qué nombre va con cuál niño, sobre todo cuando los nombres riman o tienen una cadencia especial. Esto sucede incluso cuando no son idénticos. Un profesor se quejaba de haber tardado meses en recordar cuál era Daniela y cuál Manuela, aunque las niñas eran muy distintas.

- Al ponerles la versión femenina y masculina de un mismo nombre —Mario y Mariana— se estimula la tendencia a verlos como una unidad.

- Tener las mismas iniciales puede crear dificultades al llevar un registro; por ejemplo, un farmaceuta tuvo que cambiar la fecha de nacimiento de un gemelo porque el representante de la aseguradora se negaba a atender prescripciones idénticas y alegaba que le estaban enviando fórmulas duplicadas, pues los gemelos tenían las mismas iniciales.

- Si un padre desea desesperadamente ponerle su nombre a su hijo, piense en el impacto que esto puede tener en los otros hijos que no llevan el nombre del padre.

- Los apodos tiernos de bebés pueden durar toda la vida y no suelen ser muy apreciados en la edad adulta.

Ponerles nombres muy populares en el momento puede dificultar aun más el desarrollo de su identidad.

- Ponerles nombres en honor a personas especiales, como los abuelos, es una buena idea si le gustan todos los nombres, pues no es el momento de excluir a nadie. El niño que no tenga el nombre de un ser querido se preguntará por qué, y el abuelo cuyo nombre no ha sido escogido se sentirá ofendido.

- Por último, al tomar la decisión, diga los nombres en voz alta. ¿Suenan "bien" al decirlos juntos? ¿Fluyen, sin importar cuál dice primero? A los niños no les gusta que los llamen siempre de segundo, tercero, cuarto o quinto.

Todos queremos saber que nuestro nombre fue escogido especialmente para nosotros y que tiene alguna importancia para nuestros padres. Y todos queremos que nuestros hijos sepan que elegimos su nombre cuidadosamente.

10 Productos para el cuidado del bebé

Si le da pánico la idea de hacer las compras para más de un bebé, relájese. Tener más de un hijo es más caro que tener uno solo, pero no es prudente ni necesario comprarlo todo nuevo ni duplicar, triplicar o cuadruplicar sus compras. Los grupos de familias múltiples suelen vender ropa y equipos bien conservados; también hay ventas de garaje y bazares de iglesias que pueden ser una buena fuente para estas compras.

El ajuar

El ajuar de los bebés no tiene que ser muy elaborado ni tiene que combinar. Unos cinco mamelucos o vestiditos de algodón por cada bebé y un mismo número de camisitas es suficiente para la mayoría de los recién nacidos. Tenga varias cobijas para cada uno y varias sábanas para la cuna. Cada bebé necesita un suéter y un gorrito, y un traje de invierno para los climas fríos.

Los pañales

Cada bebé utilizará la misma cantidad de pañales que un solo bebé. Los recién nacidos deben ser cambiados unas cien veces por semana. Si utiliza pañales desechables, el costo se duplica, triplica o cuadruplica, pero son prácticos y se consiguen en distintos tamaños, desde para recién nacidos hasta para caminadores. Algunas tiendas o farmacias ofrecen un servicio de venta de pañales a domicilio.

Si utiliza pañales de tela, no tendrá que comprar el doble o el triple, simplemente tendrá que lavarlos con más frecuencia, lo que pronto se convierte en parte de la rutina diaria.

Las sillas para el auto

Es obligatorio que las sillas para el auto cumplan con todas las normas de seguridad. Si compra sillas que les sirvan a los bebés desde que nacen hasta que caminan, puede ahorrar un poco de dinero; sin embargo, si sus bebés son prematuros, necesitarán un modelo especial. Piense en su auto al escoger un tipo particular de silla. Algunas no se ajustan bien a ciertos cinturones de seguridad, y otras son tan grandes que no cabrán más de una o dos en el auto. Para la seguridad de sus bebés, asegúrese de instalar y utilizar las sillas según las recomendaciones del fabricante. Muchos departamentos de policía y de bomberos ofrecen ayuda para la instalación y el uso adecuado de estas sillas.

Las cunas

Con frecuencia, dos o más recién nacidos pueden compartir la cuna durante los primeros meses e incluso después. Algunos duermen mejor cuando pueden dormir acompañados y abrazarse, pero entre los tres y los seis meses es posible que empiecen a despertarse el uno al otro.

Todas las cunas, ya sean compradas o prestadas, deben seguir las normas de seguridad. Para los primeros meses, la distancia entre las tablillas no debe ser mayor de cinco centímetros porque los bebés pueden estrangularse al deslizar la cabeza a través de ellas (y es posible que tengan la cabeza pequeña como consecuencia de un parto prematuro o bajo peso al nacer). El colchón debe ajustar perfectamente para que la cabeza del bebé no pueda deslizarse entre el colchón y el borde de la cuna. Las sábanas también deben ajustar bien, por lo que es importante revisar que no se hayan encogido después de cada lavada. Las almohadillas de los bordes deben quedar firmemente ajustadas y deben ser removidas en cuanto los bebés pueden levantarse solos. Asimismo, las cunas no deben tener protuberancias en las que pueda enredarse la ropa del bebé.

Los coches

Invierta en un buen coche doble o cuádruple. Los gemelos (trillizos, cuatrillizos, etcétera) lo utilizan durante más tiempo y con más frecuencia que un solo bebé, porque ningún padre tiene suficientes ojos y manos para atender a varios bebés sueltos. A continuación encontrará una lista de los tipos de coches para bebés, con un comentario sobre sus ventajas y sus desventajas:

Algunos coches estilo limusina son demasiado pesados y largos. La mayoría son fáciles de empujar pero es difícil meterlos y sacarlos del auto. En este tipo de coche, los gemelos quedan uno frente al otro, o los dos mirando hacia adelante.

Los coches estilo sombrilla son ligeros y poco costosos en comparación con otros. Son fáciles de manejar al meterlos o sacarlos del auto, pero suelen ser menos útiles, pues muchos no sirven para niños más grandes y algunos son muy pesados de empujar cuando los bebés crecen.

Hay coches ligeros importados, parecidos al modelo tradicional tipo sombrilla, que son más resistentes pero suelen ser más costosos. En todo caso, la mayoría de estos modelos dobles cabe por las puertas.

En los coches *tándem*, los dos asientos miran hacia adelante, uno detrás del otro. En este caso, el de atrás tiene menos espacio para las piernas y menos visibilidad que el que está al frente.

Los coches de peso medio, con los asientos uno al lado del otro, para gemelos o trillizos, ofrecen a los bebés la misma visibilidad pero a veces no caben por las puertas.

Hay coches deportivos dobles o triples diseñados para que los padres deportistas puedan trotar mientras empujan a dos o tres bebés que van cómodos y seguros (también se consiguen remolques dobles o triples para bicicletas).

Probablemente, usted tendrá que pedir el coche en una tienda especializada o por internet; y es usted quien deberá decidir cuál le conviene más. Comprar dos coches dobles puede ser una solución más realista que uno cuádruple, pero esto también significa que debe haber siempre dos adultos disponibles para empujarlos. Usted no podrá salir sola si no tiene un coche en el que pueda acomodar a todos los bebés al tiempo.

Analice sus opciones con otras madres de gemelos (trillizos, cuatrillizos, etcétera), pero tome su decisión basándose en las necesidades y el estilo de vida de su familia. Asegúrese de que todos los coches ofrezcan buen soporte a la espalda de los bebés y de que tengan un cinturón para cada uno y un buen sistema de frenos. Revise cuál es la política de devoluciones de un coche pedido en una tienda o por internet para no tener que quedarse con un coche no deseado. Y revise también la garantía del marco y las partes, pues muy pronto verá que varios bebés son mucho más duros con las cosas que uno solo.

Cargadores

Hay unos cargadores especialmente diseñados para más de un bebé. Y aunque pocos padres pueden llevar más de dos al mismo tiempo, los cargadores son útiles, pues la madre puede mantener cerca de su corazón a un bebé que necesita más atención y contacto sin tener que desatender a los otros.

Los "canguros" son cargadores adaptables. Algunos padres llevan dos bebés en un solo canguro; otros se cruzan dos canguros al cuerpo (ver apartados 33 y 35).

Otros artículos

- Las mesas para cambiar a los bebés son agradables, pero no son esenciales. Una toalla limpia, una cobija de franela o una almohadilla sobre el piso, el sofá o la cama también sirve y permite poner a todos los bebés en fila para cambiarlos o vestirlos.

- Los columpios para bebés pueden mantener distraído a un bebé mientras usted alimenta al otro. Si tiene un columpio para cada uno, tal vez pueda escaparse un momento para comer. *¡Pero nunca deje a los bebés solos en los columpios!*

- Las sillas infantiles, especialmente las que se balancean, son muy útiles. Los bebés se pueden alimentar con tetero mientras están en las sillas. Usted puede cargar a un bebé para alimentarlo mientras balancea al otro con el pie.

- Un parque de juegos generalmente es muy pequeño para meter a dos o más bebés activos, pero poner a los bebés recién nacidos en el parque, puede protegerlos de los hermanos mayores. Más adelante el parque le puede servir para guardar juguetes o para poner a alguno de los niños mientras atiende a los otros.

Artículos no esenciales

- Los equipos para brincar y balancearse y demás artículos no son esenciales. Hay un índice muy alto de accidentes y visitas a la sala de urgencias ocasionados por los caminadores.

Antes de que nazcan los bebés, compre sólo los artículos esenciales. Por ahora, acepte lo que le presten sus amigos; cuando los bebés hayan nacido usted podrá ver qué cosas necesitan tanto usted como los bebés.

11 | Regreso al trabajo

Muchas madres vuelven a trabajar poco después del parto. Ya sea que usted planee volver al trabajo por necesidad económica, por la necesidad emocional de trabajar o para conservar el puesto en el escalafón de su empresa, el nacimiento de gemelos o más bebés añade una nueva dimensión a esta decisión y a cualquier tipo de arreglo en cuanto al cuidado de los bebés. Esto último debería decidirlo durante el embarazo, pues la mayoría de las madres están demasiado cansadas después del nacimiento de los bebés.

Un embarazo y un parto múltiples son más estresantes para el cuerpo de la mujer que el embarazo y el parto de un solo bebé. Entre más bebés esté esperando, más estresante será. Usted necesitará tiempo para recuperarse y sanar. Probablemente dormirá menos que la madre de un solo bebé y tendrá menos tiempo para cada uno de sus recién nacidos. Volver al trabajo disminuirá aun más su tiempo y su energía. Es indispensable poder pasar mucho tiempo con sus bebés durante los primeros meses para conocerlos a todos y a cada uno, así que recuerde que dentro de los planes de trabajo debe incluir tiempo para dedicarles a sus bebés (para más información, vea los apartados 20 y 21).

Repase sus opciones

Al hacer sus planes de trabajo, considere opciones que minimicen los costos y los gastos del cuidado de los bebés, pero busque lo mejor. Las siguientes preguntas le pueden ser útiles:

- Después de deducir los costos del cuidado de los bebés y otros gastos relacionados con el trabajo, ¿cuántos ingresos le quedarán disponibles en realidad? El nacimiento de varios bebés puede significar que trabajar los dos (tanto el padre como la madre) cuesta casi lo mismo que si uno se queda en casa, al menos hasta que los bebés caminen. El cuidado de gemelos o más bebés suele ser muy caro. Al sumarle a esto el costo de la ropa para ir al trabajo, el transporte y las comidas por fuera, quedarse en casa puede costar menos de lo que se imagina.

- Tal vez debería pensar en posponer el regreso al trabajo. ¿Puede extender la licencia de maternidad? ¿Podría pensar en tomar una licencia no remunerada? ¿Usted y su pareja pueden organizar sus horarios de modo que alguno esté siempre con los bebés? ¿Alguno de los dos puede cambiar al turno de la tarde? ¿Su jefe le permitiría tener un horario flexible? Si usted cree que lo mejor para su familia es algún arreglo específico, no le hará daño preguntar.

- ¿Su jefe estaría de acuerdo con que usted y otro colega trabajen medio tiempo en el mismo trabajo? Aunque quizás esta no sea la política actual de las empresas, algunas están dispuestas a ser flexibles porque el "trabajo compartido" entre dos empleados entrenados suele ser más efectivo que entrenar a uno nuevo.

- ¿Trabajar medio tiempo en lugar de tiempo completo durante una temporada la beneficiará a usted y a los bebés? De esta manera, podrá pasar más tiempo con los bebés, su cuerpo tendrá más tiempo para recuperarse y podrá mantenerse visible en el mundo laboral. A lo mejor usted pueda trabajar medio tiempo mientras su esposo se queda en casa con los bebés.

- ¿Tiene usted alguna habilidad que le permita ganar dinero al trabajar en casa? Necesitará que alguien le ayude con los bebés mientras trabaja, pero estará allí en caso de emergencia y para ayudar cuando sea necesario.

Para tener en cuenta

Aunque los abuelos aman a sus bebés casi tanto como usted, y algunos serán la opción número uno para cuidarlos, otros no estarán en condiciones de cuidar a tantos bebés o no podrán hacerlo por mucho tiempo. En esta sociedad cambiante de hoy en día, muchos abuelos simplemente no están disponibles. Tenga en cuenta lo siguiente:

- En última instancia, usted es la que responde por sus bebés incluso cuando alguien más los cuida durante una parte del día. Asegúrese de que todas las personas que cuiden a sus bebés entiendan sus expectativas acerca de la crianza de gemelos (trillizos, cuatrillizos, etcétera) y el desarrollo de la individualidad.

- Si trabaja tiempo completo, una posibilidad es contratar a alguien para que viva con ustedes. Esta ya no es una opción sólo para ricos, sobre todo al calcular el costo del cuidado diario de más de un bebé.

- Busque a alguien que adore los bebés y que interactúe con cada uno. Si esta persona viene a su casa, no pretenda que se encargue de las labores domésticas, pues al cuidar a los bebés no tendrá tiempo para más cosas.

- Si lleva a los bebés a un jardín infantil o una guardería, es mejor que quede cerca de su trabajo y no de su casa. Así usted puede estar con ellos durante el viaje hasta allí y, ocasionalmente, podrá visitarlos durante el día. Esto es muy útil para una madre que está amamantando (ver apartados 15, 16 y 18).

- ¿Puede hacer un arreglo especial en su trabajo si los bebés se enferman? Los estudios muestran que los niños se enferman más en las guarderías que al quedarse en casa. Muchos padres usan sus licencias por enfermedad cuando se enferman sus hijos, pero al tener gemelos, trillizos o más, es probable que éstas no sean suficientes.

- Entreviste a varias personas. Aunque hay quienes cobran menos por cada niño adicional, éste no es un asunto en el que deba ahorrar. Usted está dejando posesiones muy preciadas en manos de esa persona.

- Si tiene trillizos o más, una sola persona no será suficiente. Probablemente tendrá que contratar a dos (o más), por lo menos durante la infancia.

12 | El gran día

El gran día ha llegado por fin. Hoy es el día del nacimiento de sus bebés, ya sea por decisión de la madre naturaleza o porque el obstetra y usted les den un empujoncito. Si usted es como la mayoría de los padres de gemelos, trillizos o más, habrá estado esperando este día con emoción y miedo al mismo tiempo.

La admisión en el hospital

Se aconseja que todos los partos múltiples tengan lugar en un hospital y a cargo de un obstetra acreditado. Muchos obstetras recomiendan incluso que el parto vaginal de gemelos (o trillizos) tenga lugar en una sala de partos equipada para una cesárea de emergencia, pues antes de que nazca el primer bebé es imposible prever con exactitud cómo vendrá o estará posicionado el segundo en el canal vaginal.

El obstetra envía al hospital y a la sala de partos la información acerca de la madre y la historia del embarazo para que el equipo esté preparado. En caso de parto prematuro, es probable que esta información no esté disponible. Asegúrese de llevar muchas copias de su "plan para el parto", pues éste no suele estar incluido dentro del material que se envía previamente al hospital. Repase los detalles de su plan con la enfermera (ver apartado 2).

El equipo de la sala de partos se prepara para todas las posibilidades.

- Es posible que le hagan una ecografía para confirmar la posición de cada bebé.
- Durante la admisión le tomarán una muestra de sangre y una de orina para analizarlas en el laboratorio.
- Es probable que le preparen una vía intravenosa colocándole un catéter en un brazo en caso de que haya necesidad de comunicarla con una bolsa de fluido intravenoso durante el trabajo de parto. Si se ha programado un parto sin medicamentos, puede pedir un enjuague de heparina por vía intravenosa, lo que interfiere menos con el movimiento pero asegura que una vena esté disponible si se presenta alguna emergencia.
- Si se ha programado una cesárea, durante la admisión le insertarán un catéter urinario. Si se trata de una cesárea de emergencia, esto se hace en el último momento.
- Durante la admisión también se hace un examen vaginal y periódicamente de ahí en adelante para comprobar el grado de apertura (dilatación) del cuello uterino. Éste debe dilatarse completamente hasta diez centímetros para que el bebé pueda salir del útero a través de la vagina. Después de que el cuello del útero se ha dilatado diez centímetros, todavía es necesario que la madre puje durante las contracciones para ayudar al bebé a bajar por el canal vaginal hacia la apertura.
- Se recomienda hacer un monitoreo fetal electrónico de cada bebé en el momento de la admisión y duran-

te el trabajo de parto. Es posible que este monitoreo se haga durante veinte o treinta minutos cada hora si la madre desea caminar y los bebés están respondiendo bien al trabajo de parto. Se recomienda un monitoreo continuo durante las últimas fases de la primera etapa del trabajo de parto o cuando la respuesta de un bebé es incierta.

El monitoreo se puede hacer externamente por medio de cinturones (un cinturón por cada bebé) con sensores que captan la frecuencia cardiaca de cada bebé y un cinturón con un dispositivo sensible a las contracciones uterinas. Los cinturones están conectados a máquinas de monitoreo fetal que registran en un gráfico la frecuencia cardiaca de los bebés y las contracciones uterinas.

Es probable que se monitoree al bebé internamente en el canal vaginal para conseguir el registro más preciso posible de su frecuencia cardiaca. El monitoreo interno sólo se puede realizar cuando se ha roto el saco amniótico (o "bolsa de aguas") del bebé. A veces el personal encargado del parto rompe el saco amniótico para ponerle un dispositivo de monitoreo interno al bebé en el canal vaginal.

Parto

El parto ocurre en varias etapas:

- La *primera etapa* empieza con las contracciones que afectan el cuello uterino. Éste se adelgaza y se dilata para que el cuerpo de cada bebé pueda pasar a través de él, uno después del otro, hacia el canal vaginal. Por lo general, una vez se ha dilatado completamente, el cuello uterino permanece abierto, de modo que la mayoría de las madres sólo tienen que soportar una vez las contracciones de la primera etapa del parto.

- Durante la *segunda etapa*, la madre empuja al bebé hacia abajo por el canal vaginal y hacia afuera por la apertura vaginal para el alumbramiento. Este proceso se repite con cada bebé. Después de que nace el primero, el que sigue "en la fila" debe posicionarse en el canal vaginal y ser empujado hacia abajo y hacia afuera. Con raras excepciones, todos los bebés nacen antes de que sean expulsadas las placentas.

- La *tercera etapa* empieza con el nacimiento del último bebé y continúa mientras se expulsa una gran placenta o las placentas separadas, usualmente unos diez o quince minutos después del último nacimiento.

- Una *cuarta etapa* comienza cuando todas las placentas han sido expulsadas y dura hasta que el sistema físico de la madre se estabiliza y se adapta a los cambios producidos por el parto. Para la mayoría de las mujeres esto tarda entre una y cuatro horas.

Existe el mito de que el parto múltiple dura más tiempo, pero esto no es cierto. Es más, un estudio descubrió que la duración del parto de gemelos dura un poco menos que el de un solo bebé. Sin embargo, en algunas mujeres la distensión extrema del útero que tiene lugar durante el parto múltiple parece tener como consecuencia unas contracciones menos eficientes, y esto puede hacer que el parto se prolongue.

A veces se administran medicamentos por vía intravenosa para inducir o acelerar el parto. Esto puede incrementar la intensidad de las contracciones uterinas, lo que a su vez puede afectar el grado de dolor y la capacidad de la madre para soportarlo. El incremento en la intensidad de las contracciones también puede afectar a uno de los bebés, o a más, porque las contracciones influyen en el flujo sanguíneo a través de la(s) placenta(s). Puede que haya muy buenas razones para inducir o acelerar el parto múltiple, pero la madre debe discutir las razones (y los posibles riesgos versus los beneficios) por las que se recomienda la *inducción* o la *aceleración* del parto.

Parto vaginal

El parto vaginal del primer bebé es esencialmente igual al de uno solo. El útero suele tomar varios minutos para descansar antes de reajustarse "alrededor" del segundo bebé y antes de que vuelvan a empezar las contracciones de la segunda etapa. La posición del siguiente bebé sólo se puede determinar después de que haya nacido el que estaba por delante, y el segundo bebé sólo puede posicionarse en el canal vaginal después de que haya nacido el primero (en el caso de trillizos, el tercer bebé sólo puede posicionarse en la pelvis después de que haya nacido el segundo).

Por lo general, los bebés nacen con minutos u horas de diferencia. El tiempo promedio es de diez a cuarenta minutos (en casos muy raros, los bebés han nacido con días y meses de diferencia). Cuando se puede monitorear a los bebés que siguen en el útero, el tiempo entre los nacimientos no importa. Sólo se debe intentar "apresurar" el nacimiento del siguiente bebé si éste muestra señales de dificultad.

Cuando se lleva a cabo un parto múltiple por cesárea, el nacimiento del segundo (el tercero, el cuarto y demás) tiene lugar rápidamente después del anterior.

Parto vaginal versus parto por cesárea

El índice de partos por cesárea en los partos múltiples es alto. Cerca del 50 por ciento de los dos gemelos y un 10 por ciento de los segundos gemelos nacen por cesárea. Algunos obstetras llevan a cabo el parto de gemelos siempre por cesárea como un procedimiento de rutina. Otros lo hacen en caso de que el segundo gemelo venga de nalgas. Sin embargo, las investigaciones no demuestran que el parto por cesárea como procedimiento de rutina sea más seguro para los bebés cuando el primer bebé viene mirando la espalda de la madre o boca abajo en el canal vaginal; y en el 80 por ciento de los embarazos gemelares el primer bebé viene mirando la espalda de la madre. La ruta de nacimiento de un parto gemelar debería ser determinada por las circunstancias de cada embarazo y cada parto. El mismo tipo de parto no es el adecuado para todos.

El índice de partos por cesárea es casi del 100 por ciento para los embarazos de más de dos bebés que están más allá de la semana 24 de gestación en el momento del parto. Aunque en algunos países hay una tendencia a "intentar el parto" de trillizos si el primer bebé viene mirando la espalda de la madre, las investigaciones indican mejores resultados en el desarrollo de los bebés cuando se ha practicado cesárea para los partos de más de dos bebés.

Medicamentos para el parto y opciones para la anestesia

Un trabajo de parto y un alumbramiento *sin medicamentos*, llamado a veces "parto natural", suele ser posible para el parto vaginal de un gemelo o de los dos y se considera ocasionalmente cuando los trillizos nacen vaginalmente. Es posible que el obstetra recomiende un parto gemelar sin medicamentos porque así la madre puede pujar mejor durante la segunda etapa. De esta manera se disminuye la posibilidad de tener que usar fórceps o ventosa, lo que puede ser especialmente benéfico para el parto del segundo gemelo. Asimismo, la ausencia de exposición a los medicamentos durante el parto se considera benéfica para los bebés. En los partos sin medicamentos no se suele realizar la *episiotomía*, una incisión para agrandar la apertura vaginal.

Una mujer que planea tener un parto gemelar sin medicamentos debe saber que en ocasiones se hace necesario el uso de anestesia general para dormirla, si se presenta una dificultad o una emergencia durante el nacimiento del segundo bebé. En este caso, el obstetra tendrá que buscar por dentro de la vagina y el útero para ayudar al segundo bebé; por tanto, una anestesia local no serviría de nada y no habría tiempo para administrar una anestesia epidural.

La anestesia *espinal o raquídea* se administra inmediatamente antes del nacimiento del primer bebé o justo antes de empezar un parto por cesárea. Ésta permite que la madre permanezca consciente y alerta durante el parto. Proporciona alivio para el dolor en el momento del alumbramiento, pero no alivia buena parte del trabajo de parto. A muchas madres se les recomienda acostarse durante varias horas para prevenir la cefalea post-punción.

Cuando la madre solicita un calmante para el dolor de las contracciones se le suele dar un *narcótico*. La dosis varía dependiendo de la persona y se suele administrar por vía intramuscular o intravenosa. También es posible que el narcótico se administre como parte de la medicación epidural.

Con frecuencia, la anestesia *epidural* es la opción más utilizada para el parto múltiple porque: (1) suele ofrecer un buen alivio del dolor durante el trabajo de parto y en el alumbramiento; (2) se puede utilizar si se hace necesaria una cesárea; (3) la mayoría de las madres se pueden sentar para abrazar y amamantar a los bebés inmediatamente después del parto. Hay distintas epidurales; a veces se utiliza solamente una "adormecedora", otras veces se utiliza también un narcótico.

Una de las desventajas de la anestesia epidural puede ser una menor habilidad para sentir la necesidad de pujar durante la segunda etapa del parto. Cuando esto sucede, quizá sea necesario el uso de fórceps o de extracción al vacío para el alumbramiento de uno o de los dos bebés. Durante la anestesia se vigila de cerca la presión arterial de la madre por si se presenta una disminución fuerte ya que esto puede afectar el funcionamiento de la placenta.

Todos los medicamentos utilizados durante el parto para aliviar el dolor o como anestesia pueden afectar a los bebés mientras están en el útero. La única excepción es un bloqueo local con un medicamento adormecedor utilizado para realizar la episiotomía. El grado del efecto de los medicamentos suministrados puede variar entre los bebés; además, unos producen efectos más obvios que otros. Como sucede con todos los medicamentos a los que estén expuestos los bebés, es importante sopesar los riesgos con los beneficios.

Apoyo durante el parto

Normalmente, el compañero de la madre —su esposo o alguna otra persona— puede permanecer con ella durante todo el parto, ya sea vaginal o por cesárea. En muchos hospitales, la madre puede tener más acompañantes durante el parto. Si es probable que alguno de los bebés (o más) nazca(n) por parto vaginal, considere la posibilidad de contratar a una *doula* que asista los partos. Una *doula*, o partera, es una persona entrenada para ayudar a la madre y a su pareja durante el parto y el alumbramiento; ella conocerá bien su plan de parto y estará en capacidad de trabajar con el personal del hospital para que se cumpla. Esto le permite a la madre concentrarse en el trabajo de parto. Las investigaciones muestran que las mujeres que tienen una *doula* tienden a tener partos más cortos con menos medicamentos y menos complicaciones.

Esperar lo inesperado

Lo más predecible de los gemelos, trillizos y demás es que son impredecibles. Todas las consideraciones médicas referentes al trabajo de parto y al alumbramiento deben ser discutidas con la madre y su esposo. Para la madre será más fácil relajarse y confiar en la decisión del obstetra acerca de su situación individual en el parto cuando los dos han trabajado en equipo durante todo el embarazo (ver el apartado 2).

13 Los días inmediatamente posteriores al parto

Los días inmediatamente posteriores al parto son un período de grandes cambios. El cuerpo de la madre cambia de ritmo al adaptarse a la veloz salida de los bebés y se prepara para elaborar la leche durante la lactancia. Mentalmente, la madre empieza a asimilar tanto las experiencias del embarazo, el parto y el nacimiento como la realidad de que los bebés ya han llegado.

Los cambios físicos

El sangrado vaginal es la señal más obvia de que el cuerpo ha cambiado de ritmo después del alumbramiento, y esto sucede tanto si el parto ha sido vaginal como si ha sido por cesárea. Un *sangrado excesivo* o una *hemorragia posparto* es más común después de un parto múltiple. El útero necesita contraerse más, puesto que una mayor parte ha estado cubierta por el tejido de la placenta; sin embargo, a veces no se contrae bien después de haberse distendido para acomodar a varios bebés.

- Infórmele a una enfermera si llena más de una toalla sanitaria en una hora o si expulsa un coágulo de sangre más grande que una pelota de golf.
- Palpe su útero varias veces durante los primeros días para asegurarse de que se está contrayendo bien. Debe sentirse como una toronja dura en el centro de su ab-

domen. Cada día lo sentirá más pequeño y más hacia la parte baja del abdomen. Si no lo siente duro o si el sangrado aumenta, frótese sobre el útero, en el centro del abdomen, hasta que sienta que se endurece.

- Los cólicos posparto (contracciones) pueden ser más fuertes durante un día o dos después de dar a luz a más de un bebé. Además, usted sentirá aun más estos cólicos, que se parecen a los cólicos menstruales, durante los primeros días cuando empiece a amamantar, pero esto es una señal de que la leche está "bajando". Si el médico cree que el sangrado es excesivo, es posible que le recete medicamentos que ocasionan cólicos.

- A veces, el sangrado aumenta en los días o las semanas posteriores al parto si la madre intenta hacer muchas cosas demasiado pronto. Puede ser un llamado de su cuerpo para decirle: "Siéntate y pon los pies en alto, no trates de ser una supermujer". Ponerse una bata en lugar de la ropa normal durante las primeras semanas después del parto es una buena forma de recordarse a sí misma, y a los demás, que todavía se está recuperando de un embarazo y un parto múltiples. Si el sangrado continúa, comuníqueselo al obstetra.

Si siente hinchazón o dolor alrededor del perineo (zona púbica) durante las primeras 24 horas después del parto, pida una bolsa de *hielo* para ponérsela entre las piernas. Después de 24 horas, el *agua caliente* la hará sentir mejor y le ayudará a sanar. Para aplicarse el agua caliente utilice un chorro o un baño de asiento, y rocíe el área con agua al ducharse.

Tenga en cuenta lo siguiente después de una cesárea:

- Las alternativas para el *alivio inmediato del dolor postoperatorio* (analgesia) permiten que las madres puedan levantarse el primer día y empezar a cuidar a sus bebés. Entre las alternativas más comunes está una inyección de un narcótico que se aplica una sola vez en el espacio epidural. Esto suele aliviar el dolor y dura unas 24 horas. Aunque tiene un efecto secundario, una picazón excesiva durante muchas horas, se suele suministrar otro medicamento para contrarrestar esta molestia.

  Con las bombas de analgesia controladas por la madre se liberan lentamente, a través de una vía intravenosa, pequeñas cantidades de un medicamento narcótico. Las madres que han utilizado esta opción reportaron niveles variados de alivio de dolor; algunas sintieron un gran alivio y otras muy poco. La mayoría se sintieron somnolientas y muchas de ellas estaban demasiado groguis como para cuidar a sus bebés hasta que dejaron de usarlo.

  En algunas partes, a las madres se les administran inyecciones intramusculares de ciertos analgésicos antiinflamatorios sin esteroides. Estas inyecciones alivian mucho el dolor y no tienen efectos adormecedores en la madre, de modo que ésta puede empezar a cuidar a sus bebés pronto.

- Un *medicamento oral contra el dolor* (analgésico) suele aliviar bastante el dolor en la mayoría de las madres entre 24 a 36 horas después de una cesárea. Si siente que el analgésico no la está aliviando, infórmele a la enfermera o al doctor.

- Algunas madres primerizas amortiguan con almohadas la zona de la incisión para protegerla de golpes accidentales al cargar y amamantar a los bebés y al cambiar de posición en la cama.

Por lo general, todas las madres primerizas eliminan una gran cantidad de orina y a veces sudan excesivamente en los primeros días, de modo que las madres de gemelos, trillizos, etcétera, eliminan más líquidos. Esta es la manera en que el cuerpo *elimina el volumen extra de sangre* adquirido durante el embarazo múltiple. Esto contribuye a la pérdida considerable, durante las primeras semanas, de los kilos ganados durante el embarazo.

Empezar la *lactancia* frecuente, o la *extracción* de la leche, lo más pronto posible es la mejor manera de incrementar la producción de leche, mejorar la contracción uterina y evitar una obstrucción severa o la irritación de los pezones. Cuando usted y sus bebés están sanos y puede darles pecho con frecuencia después del parto:

- Insista en que le traigan a todos los bebés para todas las comidas, incluso en la noche.
- Pídale a sus parientes que se turnen para quedarse con usted, de modo que todos los bebés puedan estar cerca de usted (esto ayuda mucho después de una cesárea).
- Si no puede amamantar a uno de los bebés, dele un pecho a uno e intente extraer la leche del otro pecho al mismo tiempo; muchas madres dicen que así obtienen más leche.

Si la lactancia inicial se retrasa, establezca una *rutina para extraer la leche*. Si le cuesta trabajo, por alguna complicación o incomodidad debida a la cesárea, pídales a las enfermeras y a sus parientes que le apliquen el extractor cada cierta hora.

Aunque algunas madres experimentan sensibilidad en los pezones al dar pecho en la primera semana después del parto, una irritación extrema o rajaduras en los pezones suelen deberse a una mala posición de los bebés en el pecho o a una dificultad para mamar.

Si padece una *obstrucción severa*, saque la leche dando de amamantar o extrayéndola con frecuencia. Algunas madres dicen que la leche fluye más fácilmente al aplicar *compresas frías* durante un minuto o dos antes de amamantar (cúbrase el seno con una toalla y ponga las compresas o bolsas de hielo sobre la toalla). Aliviar la hinchazón puede ayudar a que la leche fluya de nuevo.

Si necesita ayuda para empezar a amamantar o a extraer la leche, o si experimenta cualquier tipo de dificultad, contacte a una asesora en lactancia o a alguien experimentado en la lactancia de gemelos, trillizos y más.

Puede ser emocionante ver y sentir lo que parece un abdomen más plano mientras sigue acostada después del parto, pero es probable que la emoción se convierta en una sorpresa o un desmayo al ponerse de pie por primera vez. ¡No se asuste si después de haber dado a luz parece que aún estuviera embarazada!

- Durante el embarazo, el cuerpo produce más cantidades de la hormona que ayuda a relajar la piel para estirarse y acomodarse al crecimiento de los bebés, por tanto, el cuerpo necesitará tiempo para eliminar todas las huellas de esas hormonas que han relajado la piel. Probablemente, durante varios meses sentirá que la piel del abdomen está suelta, pero mejorará.

- Si la piel del abdomen parece arrugada, tal vez le han salido estrías. Es probable que, al estirarse durante el embarazo, la piel haya perdido elasticidad. Las estrías son comunes después de un parto a término, o casi a término, de bebés con peso promedio.

- El músculo vertical (*Rectus abdominus*) que baja por el centro del abdomen en realidad son dos músculos que suelen separarse a medida que crece el útero. Esta separación del músculo se conoce como una *Diastasis rectis*, y la madre puede sentir el espacio entre los músculos abdominales al levantar la cabeza estando acostada. Esto suele solucionarse varios meses después del parto. Un parto múltiple puede intensificar la *Diastasis rectis*, sobre todo cuando el peso combinado de los bebés es de más de 4,5 kilos, y es posible que la separación permanezca incluso después de realizar ejercicios para tonificar los músculos abdominales. Puesto que al permanecer en una misma postura por mucho tiempo puede sufrir una hernia, infórmele a su médico si la *Diastasis rectis* persiste después del primer cumpleaños de sus bebés.

Cambios emocionales

Una madre embarazada probablemente ha visto a sus bebés muchas veces en las ecografías. Quizá se ha vuelto una experta en reconocer los movimientos de cada uno y ha podido ver cómo se expande su abdomen a medida que los bebés crecen dentro de ella. Sin embargo, a la mayoría de las madres les cuesta creer que uno, dos, tres, cuatro o más bebés estaban realmente dentro de ellas hasta que pueden verlos a todos juntos. Es difícil asimilar que varios bebés están aquí en realidad hasta que uno puede tocarlos y abrazarlos.

- Después del parto, es importante ver y cuidar a los bebés juntos durante el mayor tiempo posible para hacer realidad la idea de que han nacido gemelos, trillizos o más. Esto es más fácil cuando los gemelos, o algunos trillizos, no son prematuros y están en buenas condiciones físicas. En muchos hospitales permiten que un miembro de la familia o un amigo se quede con usted todo el tiempo para ayudarle con los bebés.

- Si uno de los bebés, o más, debe ser transferido a la unidad de cuidados intensivos neonatales (UCIN), pídale a la enfermera que los ponga uno al lado del otro para verlos juntos antes de que sean transferidos, a no ser que sea una emergencia. Si hay tiempo, su esposo o la enfermera puede tomarles una foto a todos juntos. El nacimiento del número previsto de bebés puede parecer menos real si la madre tiene que separarse de alguno (ver apartados 14 y 21).

- Es normal querer saber si los bebés son del mismo sexo y si son idénticos o fraternos, pues esto hace parte de su identidad tanto como el color de sus ojos, su fisonomía y su temperamento. Sin embargo, a veces es imposible determinar en el parto cuál es el tipo de gemelos (ver apartado 19).

- La mayoría de las madres quieren volver a contarle todos los detalles del embarazo y el parto a cualquiera que esté dispuesto a escucharlas. Este es un aspecto normal y necesario para que la madre organice e integre en su memoria estos sucesos tan especiales.

El embarazo dura varios meses, y el cuerpo de la madre necesita varios meses después del parto para regresar a la normalidad. Aunque los cambios físicos y emocionales comienzan inmediatamente después del parto, el proceso de cambio continúa a lo largo de todo el primer año.

14 | Los bebés en la UCIN

Muchos gemelos nacen antes de las 36 semanas de gestación y pesan menos de 2.500 gramos. Los trillizos, cuatrillizos, quintillizos, o más, suelen llegar antes. No obstante, muchos de los futuros padres se sorprenden cuando esto sucede. Si sus bebés son más pequeños de lo previsto, uno o más tendrán que ir a una unidad de cuidados intensivos neonatales (ver apartado 3).

Tener a los bebés en la UCIN es una situación desconocida y asustadora para la mayoría de los padres, incluso cuando las condiciones de los bebés son estables. Si los bebés tienen problemas de salud, usted experimentará unos altibajos emocionales tremendos cuando presenten grandes cambios positivos o negativos. Para ahuyentar el dolor de llegar a perder a uno de sus bebés, es posible que usted se mantenga distante. Interactuar y encariñarse puede ser más difícil.

Qué esperar

- Los bebés suelen permanecer en el hospital hasta estar estables y ganando peso de manera constante, por eso a veces no pueden irse todos a casa al mismo tiempo.
- Le parecerá especialmente difícil establecer vínculos afectivos con uno o más bebés. Muchas madres dicen que se sienten más cercanas a uno de los bebés sanos o a uno que esté listo para establecer contacto

visual o para responder a los abrazos más pronto (ver
apartado 21).

- A veces, el padre se siente más cercano a los bebés
prematuros porque suele ser él quien tiene que encargarse de la situación e ir a la UCIN mientras la
madre se sigue recuperando del parto. Algunas madres tienden a sentirse insuficientes si la condición
prematura de los bebés se suma a lo que ellas consideran una experiencia de parto muy pobre.

Sugerencias

- Averigüe todo lo que pueda acerca de los bebés prematuros y su cuidado. Hágale preguntas al personal
del hospital. Si en la casa se le ocurren preguntas pero
después se le olvidan al llegar a la UCIN, tenga un
cuaderno especial para anotarlas a medida que le ven-
gan a la mente y utilícelo también para anotar las
respuestas. Lea libros o manuales que expliquen el
funcionamiento de la UCIN y sus equipos.
- Visítelos con frecuencia, usted y sus bebés necesitan
este contacto. Si las imágenes y los sonidos de la
UCIN la asustan, recuerde que sus bebés la necesitan. Pronto todo esto le parecerá conocido.
- Pídale a las enfermeras que pongan las incubadoras o
cunas una junto a la otra para que usted pueda visitarlos al tiempo; además esto refuerza la realidad de
haber dado a luz a más de un bebé. Muchos padres
creen que esto les ayudó a establecer los lazos con sus
bebés.
- Pídales a las enfermeras que empiecen a poner a los
gemelos en una misma cuna en cuanto se hayan esta-

bilizado. Esto parece ayudar a los bebés a regular y, a veces, a estabilizar la respiración y la temperatura del cuerpo. También puede ayudarles a desarrollar unos patrones de sueño parecidos.

- Tome fotos de los bebés, juntos y separados. Si aún no puede visitarlos, o no tanto como desearía debido a que no se ha recuperado del todo, pida que otra persona tome las fotos. La mayoría de las UCIN tienen cámaras instantáneas para mandarles fotos a las madres que no pueden ir.

- Dígale al personal de la UCIN que usted desea empezar con el cuidado de "madre canguro" con cada bebé lo más pronto posible (esto puede suceder antes de lo que imagina). Algunas veces, los bebés clasificados como de muy bajo peso o los que todavía tienen que utilizar respirador califican para el cuidado canguro si están estables en todo lo demás. Para el cuidado canguro se pone a uno o más bebés contra el pecho, piel contra piel, de su padre o de su madre. Esto tiene muchos beneficios para los bebés, pues les ayuda a regular la temperatura corporal, así como la función cardiaca y la respiratoria. También parece que ayuda a estimular el desarrollo cerebral. Los padres dicen que les ayuda a sentirse más cercanos a cada bebé y además se sienten mejor al saber que están haciendo algo por ellos.

- Si no los puede visitar, llame con frecuencia. Pregunte por cada bebé por separado. No se preocupe porque piensa que es demasiado tarde o demasiado temprano; siempre hay alguien cuidando a sus bebés, y quienes trabajan en las UCIN se alegran de que los padres se preocupen por sus bebés en todo momento.

- Llame a cada bebé por su nombre. Esto hace que la idea de haber tenido gemelos, trillizos o más se haga más real. Además les ayuda tanto a usted como al personal de la UCIN a pensar en cada bebé como un individuo. No se refiera a ninguno de ellos con un rótulo como "el niño", "el bebé más pequeño", "el más enfermo". Esto puede ser un modo de aislarse y distanciarse del dolor de tener un bebé enfermo.

- No se concentre únicamente en los reportes médicos referentes al progreso de los bebés. Fíjese en cómo responde cada uno al ser alimentado, cambiado o examinado. ¿Qué calma y qué incomoda a cada uno?

- Si algún miembro del personal se refiere a ellos como Bebé A y Bebé B (o Bebé C y Bebé D), o "los gemelos" ("los trillizos", "los cuatrillizos"), acérquese y hágale preguntas específicas acerca de cada uno por su nombre, comuníquele que usted considera a cada uno como un individuo.

- Deje algo que tenga su olor, un pañuelo o una almohadilla de lactancia, en cada cuna.

- Por lo general, los bebés no salen de la UCIN al mismo tiempo porque las condiciones no son las mismas. Muchas madres dicen que se sienten más cercanas al bebé que llegó primero a la casa, y esto sucede porque pueden concentrarse en ese bebé sin necesidad de distraerse con otro. Si usted nota que está teniendo esta reacción natural, puede tomar las medidas necesarias para remediarlo (ver apartado 22).

- Compre ropa especial para bebés prematuros. Así sus bebés se ven muchísimo mejor y usted se sentirá mucho mejor también.

Alimentar a su bebé prematuro

Muchos padres dicen que no sienten que los bebés en realidad son suyos sino hasta que empiezan a alimentarlos, así que dígale al personal que usted quiere hacer esto lo más pronto posible. No deje que los tubos y los aparatos le quiten la posibilidad de disfrutar esta experiencia. Una enfermera le enseñará cómo cargar a los bebés. No posponga el contacto con sus bebés hasta estar en casa; si empieza pronto ganará seguridad para manejarlos.

La leche materna es especialmente benéfica para los bebés prematuros o con alguna enfermedad, de modo que si pensaba amamantarlos, no renuncie. La leche producida para los bebés prematuros es distinta a la que se produce para los bebés a término, y es perfecta para ellos. Los bebés prematuros o enfermos que reciben la leche de su madre tienen menos infecciones e infecciones menos graves, y muchos expertos estimulan a las madres a amamantar a sus bebés prematuros.

Incluso si usted no pensaba amamantarlos, considere la posibilidad de darles los beneficios de su leche y extraerla de sus senos durante semanas o meses. Quizá necesite ayuda, y el personal de la UCIN con seguridad la contactará con una asesora especializada en lactancia que le enseñará a utilizar un extractor, a guardar la leche y transportarla, y después le ayudará a alimentar a cada bebé.

Ya sea que les dé pecho o biberón, los bebés prematuros deben ser alimentados con más frecuencia. Aunque suele tomar más tiempo alimentar a estos pequeños bebés, normalmente toman cantidades más pequeñas en cada comida. Si es posible, alquile una balanza digital para pesar a los bebés antes y después de amamantarlos, así podrá saber cuánto ha tomado cada uno y se sentirá más segura.

En casa

Al llevar a casa a sus bebés, se sentirá más ansiosa que la madre de varios bebés a término o que la madre de un solo bebé prematuro. Estas sugerencias le ayudarán a hacer más suave la transición:

- Si es posible, contrate a una enfermera para que los examine tanto a usted como a los bebés. Ella le confirmará que todo está bien y sabrá qué hacer si usted o alguno de los bebés sigue teniendo algún problema de salud.
- Pida que le ayuden con las tareas domésticas para poder dedicar toda su atención a los bebés. Tanto usted como ellos necesitan tiempo juntos.
- Reciba muy pocas visitas hasta que usted y los bebés estén más fuertes y hayan establecido algún tipo de rutina. Una buena razón para recibir pocas visitas es que los bebés prematuros o enfermos son más sensibles a las infecciones. Durante el día, mantenga a los bebés juntos y donde pueda verlos incluso cuando estén dormidos. Esto refuerza el hecho de que usted es ahora la madre de unos gemelos, trillizos o cuatrillizos, y le permite responder a cada uno lo más pronto posible. Si alguno se despierta, aunque sea por un momento, álcelo y abrácelo sólo a él.
- Sus bebés necesitan contacto con usted incluso si usted no parece ansiarlo, y usted necesita contacto con ellos incluso si no le parece natural al principio.

No se culpe a sí misma por el parto prematuro de sus bebés. Muy pocas madres tienen algo que ver, y muy pocas veces hay algo que pudieran haber hecho para evitarlo. La culpa es inútil. El tiempo y la atención que desperdicia sintiéndose culpable estarán mejor utilizados si los aprovecha para empezar a conocer a sus bebés. Después de unos pocos meses, cualquier preocupación que haya podido sentir empezará a desvanecerse y usted podrá relajarse y experimentar los retos y las alegrías que experimentan todos los padres. La paciencia, la determinación y la aceptación de que sus sentimientos son reacciones normales ante una situación inusual, pueden ayudarle a superar incluso el comienzo más difícil.

15 | ¿Pecho o biberón?

Escoger el modo de alimentar a los bebés es una de las decisiones más importantes que deben tomar los nuevos padres, y probablemente una de las más controversiales. Ningún otro tema genera tanta polémica como la decisión de alimentar al bebé dándole pecho o con biberón. Todo el mundo tiene una opinión al respecto, y ésta suele basarse no sólo en los hechos sino también en la emoción. Pero es *su* decisión.

No hay duda de que, salvo raras excepciones, "la mejor leche es la leche materna". Estudios tras estudios han demostrado que la madre naturaleza diseñó la leche humana para los bebés humanos. Pero cada madre, cada bebé y cada familia son diferentes. Sólo usted puede decir cuál opción (o combinación de opciones) es mejor para ustedes.

Sin importar cuál modo escoja, alimentar a más de un bebé requiere mucho más tiempo y esfuerzo. Tanto para usted como para los bebés, alimentar significa mucho más que dar comida. Al alimentar a sus bebés usted no satisface una necesidad puramente fisiológica sino también social, pues las comidas son momentos de socialización. Éstas le dan a la madre la oportunidad de responder al llamado de cada bebé, para abrazarlo, para interactuar con él y mantener contacto visual; así le demuestra que lo ama, lo que lo hace sentir seguro, protegido y valorado. Las comidas también le dan a la madre la posibilidad de conocer a sus bebés como individuos.

Además, las comidas les muestran a los bebés que tienen cierto control sobre su entorno y que pueden confiar en que éste va a satisfacer sus necesidades (usted es parte de ese entorno). Cada uno aprende esto a medida que siente hambre y maneja la tensión que demuestra a través de los llamados para pedir comida, tales como lamer, hurgar, llevarse las manos a la cara y, por último, llorar. Cuando usted responde rápidamente a sus llamados, él descubre que puede hacer que las cosas sucedan dentro de su entorno. Así, empieza a confiar en su madre, esa persona que lo cuida constantemente, ya que es usted quien suele responder a sus llamados, al cargarlo y alimentarlo.

Si usted pasa por alto los llamados de alguno de los bebés, si suele dejarle el biberón "apoyado", o si el bebé está constantemente expuesto al cuidado de distintas personas, éste empieza a pensar que no está mandando bien las señales, que no puede confiar en sí mismo o en su entorno, cuando sus llamados no producen una respuesta predecible.

La naturaleza diseñó las comidas de los bebés como una actividad que debe ser repetida con frecuencia y, de esta manera, le da a la madre la oportunidad de satisfacer las necesidades fisiológicas y emocionales básicas de sus bebés. Estos dos tipos de necesidades son importantes; ninguno disminuye o desaparece porque los bebés sean parte de un grupo (de gemelos, trillizos o más) o porque el modo de alimentarlos permita apoyar el biberón o dejar a los bebés en manos de diversas personas para que los cuiden.

La responsabilidad de satisfacer las necesidades emocionales y físicas de todos sus bebés no cambia al dar a luz a más de uno. Esto no quiere decir que nadie más pueda ayudarle a darles de comer o que nunca deba dejarles el biberón apoyado; es más, puede que en ciertas ocasiones alguna de estas dos opciones responda mejor a las necesidades de los bebés. Sin embargo, en medio de la lucha por organizarse eficazmente, usted debe hacerse muy consciente y no perder nunca de vista las necesidades emocionales y físicas de sus bebés.

Para tener en cuenta

Algunas ventajas de amamantar son:

- Amamantar asegura que usted y sus bebés estén en contacto muchas veces al día, lo que le da la oportunidad de ir conociéndolos por separado.
- La leche materna es mucho más nutritiva y es más fácil de digerir que la leche de fórmula, y esto es menos estresante para el sistema inmaduro de los bebés.
- La leche materna contiene propiedades antiinfecciosas y factores antialérgicos que la leche de fórmula no tiene. Esto ayuda a prevenir enfermedades entre sus bebés, pues al ser varios tienden a compartir las enfermedades contagiosas.
- La leche materna es más económica. Las calorías adicionales que usted necesita consumir cuestan mucho menos que la leche de fórmula y por lo general no se requiere un equipo costoso. Incluso si compra o alquila un extractor de leche para utilizar al principio o durante varios meses, éste cuesta muchísimo menos que la leche de fórmula.
- La leche materna no requiere preparación, refrigeración ni limpieza. Siempre está disponible y siempre tiene la temperatura adecuada.
- Muchas madres dicen que las comidas constantes son una buena excusa para sentarse y descansar durante

el día, lo cual es muy importante para recuperarse de un embarazo y un parto múltiples.

- Al amamantar o al extraer la leche, el útero se contrae, y esto ayuda a disminuir el sangrado posparto. Amamantar también suele retrasar el reinicio del período menstrual, y una menor pérdida de sangre también ayuda a que la nueva madre se recupere.

Las ventajas del biberón con leche materna extraída o de fórmula son:

- La madre puede recibir ayuda; por ejemplo, mientras alimenta a uno de los bebés, el padre alimenta a otro, a no ser que todos (en caso de que sean trillizos, cuatrillizos o más) quieran ser alimentados al mismo tiempo. Esto les permite tanto a la madre como al padre conocer a sus bebés por separado.
- Los padres tienen más oportunidades de participar. Papá puede encargarse de las comidas por la noche y así darle tiempo a mamá para que recupere energías.
- La madre tendrá más energía en el día si puede descansar bien por la noche (ver apartado 34).
- Al dejar a los bebés con una niñera, ella podrá alimentarlos.

La alimentación de los bebés es de gran importancia, pues crea las bases de los patrones de comportamiento que permanecerán a lo largo de las siguientes etapas de desarrollo. No permita que las comidas se proyecten como una tarea y como algo inflexible, y asegúrese de que satisfagan las necesidades emocionales y físicas de los bebés.

16 | Darles pecho

La naturaleza diseñó a la mujer de modo que la mayoría pueda amamantar a varios bebés. Muchas madres han amamantado a sus gemelos, y algunas cuantas han amamantado a sus trillizos o cuatrillizos. No le preste atención a quienes le digan: "Es imposible producir leche suficiente para dos (tres o cuatro) bebés", o "Será muy difícil para ti y para tu familia *intentar* alimentar a gemelos (trillizos o cuatrillizos)".

Usted *puede* alimentarlos, sin importar cuáles sean las circunstancias. Si un período libre de estrés fuera un requisito para amamantar exitosamente, ¡muy pocas madres de gemelos (trillizos o más) podrían lograrlo!

Para amamantar a sus bebés usted necesita entender cómo funciona la producción de la leche, comprometerse a continuar haciéndolo durante el período inicial de reajuste y contar con un buen apoyo cuando se sienta desanimada o frustrada. Cuando las madres logran que los asuntos relacionados con el hecho de haber dado a luz a más de un bebé no afecten la alimentación, la mayoría descubre que amamantar puede ser uno de los aspectos menos complicados.

La producción de leche humana funciona según el principio de que la *demanda determina la oferta*. Cuanto más pecho tome el bebé, más leche producirá la madre. Cuanto menos pecho tome, y en cambio reciba leche suplementaria, menos producirá la madre.

El comienzo

Si son gemelos o trillizos nacidos a término o casi a término, amamante a cada bebé lo más pronto posible y con frecuencia. Al amamantar pronto y con frecuencia a dos o más bebés, los senos sabrán cuánta leche deben producir (más adelante, en este mismo apartado, encontrará información sobre cómo empezar a amamantar a gemelos prematuros).

Deje que sean los llamados de cada bebé y no el reloj los que determinen cuándo amamantarlo. Por ejemplo, ofrézcale el pecho al bebé que parezca "hurgar" en busca del pecho, que intente succionar o chupar, o se lleve las manos a la cara; el llanto es una de las últimas señales. Las señales o llamadas de los bebés para ser amamantados es su forma de decirle al cuerpo de la madre cuánta leche producir.

Los bebés sanos comen entre ocho y doce veces en 24 horas. Si usted no está segura de que estén recibiendo suficiente comida, fíjese en cuántos pañales mojan o ensucian. Hacia el final de la primera semana, cada uno debería producir *por lo menos* seis pañales mojados y tres sucios en un lapso de 24 horas. Muchos padres controlan las comidas y los pañales de cada bebé por medio de cuadros de registro. Para que sea más fácil seguir la pista de cada bebé, puede hacer cada cuadro de un color distinto y utilizar un color para cada bebé.

Cómo superar las complicaciones

Cuando una madre de gemelos, trillizos o más sufre alguna complicación y debe esperar 12 ó 24 horas para empezar a amamantar, empieza a producir calostro por medio de un extractor eléctrico que se puede adaptar a una extracción sencilla o doble. Si el tratamiento que está recibiendo para recuperarse de la complicación afecta su capacidad de hacerlo por sí misma, quizá sea necesario que le ayude una enfermera, una asesora en lactancia, una amiga o pariente. Para tener un buen comienzo en la producción de leche por medio de un extractor, es importante tener en cuenta lo siguiente:

- No todos los extractores son iguales. Los extractores de hospital, que pueden ser alquilados, fueron diseñados para establecer y mantener la producción de leche al máximo. En cambio, la mayoría de los extractores eléctricos pequeños, que funcionan con baterías o son manuales, no pueden hacerlo.

- El ideal es que una madre extraiga su leche con la misma frecuencia y durante el mismo tiempo que para un recién nacido saludable, es decir entre 8 y 12 veces o entre 100 y 140 minutos en 24 horas, sin dejar de extraer por un período mayor a 4 ó 5 horas. Cuando el estado de la madre afecta la cantidad "ideal" de leche extraída en los primeros días, debería incrementar lo más pronto posible el número de sesiones para extraerla.

- Ocho sesiones en 24 horas es el *mínimo* de sesiones necesarias para establecer y mantener la producción de leche equivalente para un bebé. Extraer menos puede dar como resultado una menor producción de leche. La mayoría de las madres pueden incrementar la producción al aumentar el número de sesiones.

- Puesto que alimentar a más de un bebé requiere una mayor producción de leche, se necesitarán unas 10 ó 12 sesiones en 24 horas. La madre puede añadir sesiones gradualmente a medida que se va recuperando o que los bebés necesitan más leche.

- El promedio de duración de una sesión es entre 10 y 20 minutos. Muchas madres recomiendan aplicar compresas calientes y después masajear cada seno antes de empezar a extraer en los dos al tiempo (hágase masajes incluso cuando no tenga tiempo de aplicar las compresas). Algunas madres extraen continuamente durante 10 ó 20 minutos; otras dicen que obtienen más leche si toman un descanso cuando la leche empieza a fluir lentamente y después vuelven a extraer.

- Algunas madres prefieren extraer primero de un seno y después del otro, sobre todo cuando están aprendiendo. Extraiga dos veces de los dos, alternando entre el derecho y el izquierdo (de 3 a 7 minutos, dependiendo del flujo de la leche) y después extraiga de cada uno. Esta técnica puede tomar un poco más de tiempo, pero suele ser más fácil de manejar inicialmente, además, la madre puede masajear un seno mientras extrae del otro. En cuanto la leche empieza a "bajar", muchas madres empiezan a extraer de los dos senos al mismo tiempo.

- Algunas pocas madres, sobre todo las que han dado a luz a más de dos bebés, dicen que se demoran en producir leche en abundancia. En lugar de los 3 a 5 días usuales de retraso, su leche no empieza a bajar sino hasta después de 7 ó 10 días y, ocasionalmente, después de varias semanas. Hasta el momento, no se ha identificado que la causa pueda ser una complicación o un tratamiento durante el embarazo. Aunque no parece ser el único factor, en varios casos estas madres no fueron estimuladas a extraer con frecuencia durante los primeros días después del parto. Man-

tenga la rutina de extracción recomendada aun cuando el nivel de leche sea bajo y busque la asesoría de
una experta en lactancia.

• Prográmese para extraer hasta que pueda amamantar a todos los bebés; la cantidad o la duración de
las sesiones disminuye a medida que la lactancia aumenta.

• *Manténgase en contacto* con una asesora en lactancia,
pues ella puede ayudarle a utilizar los equipos de extracción, a elaborar un plan para empezar a amamantar y darle ánimos (ver apartados 14, 18 y 30).

Rutina

Algunos bebés comen cada dos o tres horas, otros duermen
durante más tiempo y después juntan varias comidas en
una. Estos dos patrones son comunes, ¡pero tener que manejar dos o más variaciones puede ser difícil! La mayoría
de los bebés establecen rutinas bastante predecibles entre
la sexta y la octava semana, pero éstas tienden a seguir
evolucionando.

• Muchas madres siguen amamantando a los gemelos
según sus llamados; algunas madres de trillizos también lo hacen, pero muchas recomiendan tener a alguien que les ayude con las labores domésticas si tienen que estar disponibles para amamantar a los bebés
con frecuencia.

• Si necesitan un horario más "definido" para poder
manejar, físicamente, las comidas de sus bebés, algunas madres suelen despertar a un bebé para amamantarlo justo antes, o después, o al tiempo con otro.
Esto no funciona cuando los patrones de los bebés

son muy distintos; si esto no le sirve de ayuda en las primeras semanas o en los primeros meses, vuelva a intentarlo cuando los bebés hayan crecido un poco.

- Puede combinar amamantarlos según sus llamados y según un horario. Algunas madres siguen un horario durante el día y los llamados durante la noche, y otras madres lo hacen al contrario. Si sigue un horario por la noche, es posible que si uno de los bebés ya está listo para dormir se despierte y tarde en dormirse.

Nunca "aplace" el momento de amamantar a uno de los bebés para alcanzar un número ideal de horas entre las comidas. Hacer esto puede afectar la producción de leche y el ritmo en que los bebés están ganando peso.

Cómo coordinar las comidas dobles, triples o cuádruples

Si sólo les está dando pecho y cada bebé come por lo menos de 8 a 12 veces en 24 horas, casi cualquier método para coordinar las comidas funciona (en el apartado 18 encontrará información sobre cómo combinar el pecho y el biberón).

- La rutina más sencilla es ofrecer un seno por cada comida, alternando los bebés y los senos cada 24 horas: asígnele el derecho a uno y el izquierdo a otro por un día, y cambie al día siguiente. Si tiene cuatrillizos, puede asignarles el seno de derecho a dos y el izquierdo a los otros dos durante 24 horas.
- Las madres de trillizos tienden a alternar los bebés y los senos con más frecuencia. Generalmente no es necesario hacer los turnos al pie de la letra, pues los dos senos tienen bastante "acción" durante un perío-

do de 24 horas. Algunas madres de gemelos o cuatrillizos también prefieren seguir este modelo.

- Algunas madres de gemelos le ofrecen los dos senos a cada bebé en cada comida. Por ejemplo, Bebé A come del seno derecho hasta que él mismo se suelta y termina con el izquierdo si sigue con hambre. Bebé B empieza por el izquierdo y termina con el derecho. No obstante, son pocas las madres que siguen este modelo después de unas cuantas semanas porque algunos bebés se "sobrealimentan" si se les ofrecen los dos senos.

- Si tiene gemelos o cuatrillizos, puede asignarle un seno a cada bebé para todas las comidas, todos los días. Esto, sin embargo, puede ocasionar problemas cuando uno de ellos no puede comer o no come durante días, y el otro no quiere comer en ese lado. Además, algunas madres notan que el tamaño de sus senos es muy distinto. Al utilizar este método, varíe las posiciones.

Amamantar al tiempo versus amamantar por separado

Amamantar a dos bebés al mismo tiempo es la forma más eficiente y efectiva de manejar la alimentación de más de un bebé. Sin embargo, muchas madres desean la cercanía que se crea al alimentar a cada bebé por separado; por tanto, muchas madres combinan los métodos y amamantan a dos al mismo tiempo y después por separado.

Los bebés (ya sean gemelos, trillizos o más) suelen influir en si se les amamanta al tiempo o por separado; los patrones de sueño también influyen. Puede suceder que alguno no quiera comer si hay otro al lado, mientras que otro no querrá empezar a comer hasta no oír que el otro ya está comiendo. La mayoría de las madres combinan los métodos y amamantan a dos al mismo tiempo en algunas comidas y después los amamantan por separado en otras. Amamantar al mismo tiempo puede ser difícil durante las primeras semanas si alguno o los dos necesitan que la madre les ayude a agarrarse para succionar, pero la mayoría pueden ser amamantados al tiempo cuando al menos uno se agarra fácilmente y succiona.

Ensaye las diversas posiciones para amamantar (vea las ilustraciones de la página 99). Poner almohadas sobre su regazo o bajo los brazos le puede ayudar a sostener a los bebés en su lugar. Muchas madres recomiendan utilizar una almohada firme que no se hunda bajo el brazo de la madre para poder acomodar a dos bebés al mismo tiempo.

Las posiciones más comunes para amamantar al mismo tiempo son:

- **Posición de cuna cruzada:** sostenga a cada bebé en la parte interior del codo en cada brazo y cruce los cuerpos por delante de usted, o apoye a cada uno sobre cada muslo. Muchas madres dicen que usan esta posición, o una variación, cuando los bebés están más grandes.
- **Posición de sandía o fútbol americano:** sosteniendo la parte posterior de la cabeza del bebé con cada mano, acomode a los bebés debajo de cada brazo, cerca o lejos de su cuerpo. Esta es la posición más común cuando se está aprendiendo a alimentar a dos bebés al mismo tiempo.
- **Posición de cuna combinada:** sostenga al primer bebé en posición de cuna. Ponga al segundo con la cabeza

descansando suavemente sobre el abdomen del primer bebé. Esta posición le permite tener una mano
libre y una cercanía a los bebés que la mayoría de las
madres disfrutan. Además es una forma más discreta
de amamantar.

La mayoría de las demás posiciones para amamantar al
mismo tiempo son variaciones de estas posiciones básicas,
que pueden ser adaptadas para amamantar en una silla
reclinable o acostada (cuando los bebés estén más grandes).

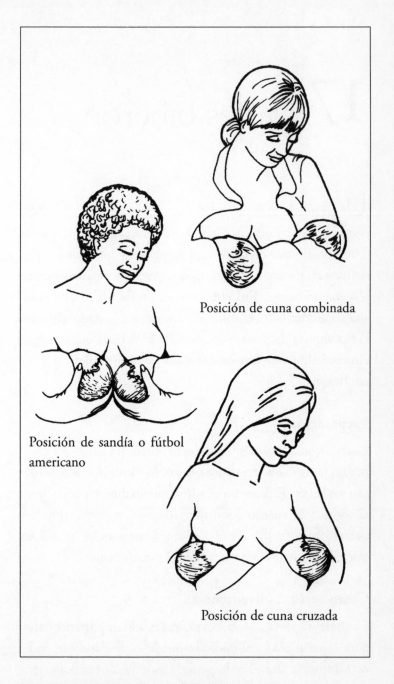

Posición de cuna combinada

Posición de sandía o fútbol americano

Posición de cuna cruzada

Tomado de *Breastfeeding: A parent's Guide* [Amamantar: una guía para los padres] (edición revisada), de Amy K. Spangler, MN, RN, IBCLC, Atlanta, GA (1999).

17 | Darles biberón

Usted puede darles biberón a sus bebés según sus llamados o siguiendo un horario. Algunos bebés se adaptan fácilmente a un horario que coincide con la rutina de los padres; otros definen su propio horario. Algunas veces, los padres permiten que un bebé defina el horario de los demás (si uno necesita ser alimentado, entonces todos son alimentados, incluso si eso implica despertar a los demás). El sistema que esté funcionando hoy puede necesitar algún reajuste mañana, así que sea flexible.

Preparación

Los biberones y las boquillas de los biberones deben ser comprados (o tomados prestados) y esterilizados antes de que nazcan los bebés. Elabore un cuadro sencillo donde pueda llevar el registro de cuánto consume cada bebé en cada comida y cuándo se le da de comer a quién. Usar papeles de colores diferentes puede ayudarle a prevenir confusiones.

Costo versus conveniencia

La alimentación de los bebés es demasiado importante como para experimentar. El pediatra puede aconsejarle qué leche de fórmula utilizar. Por lo general, la leche de fórmula viene en polvo, concentrada y lista para dársela al bebé. El tipo que elija debería balancear el costo con la conveniencia.

La que viene "lista para usar" es la más conveniente: simplemente tiene que abrir una lata, echar el contenido en el biberón y alimentar a los bebés. También es la más costosa.

La concentrada es fácil de usar y menos costosa. Si es líquida, debe mezclarla con agua hervida o destilada. Después, ponga a refrigerar los biberones con la leche y el concentrado que no utilice.

La leche en polvo es la menos costosa y sólo debe refrigerarse después de mezclarla con el agua. Puede ser conveniente para los viajes porque el polvo y el agua se pueden llevar por separado y no necesitan refrigeración hasta el momento de alimentar a los bebés. Si el polvo no se disuelve por completo, puede obstruir las boquillas de los biberones.

Los biberones

Hay una gran variedad de biberones y boquillas. Si sus bebés no pueden usar las boquillas que ha escogido, intente con otro tipo o con una marca distinta.

Marque los biberones o las tapas con un color para cada bebé. Así sabrá cuánto está comiendo cada uno y cuál fue el último en comer. Los padres que tienen más de dos bebés necesitan ayuda. Es muy importante tener un sistema sencillo y organizado que todo el mundo pueda entender.

Alimentar a cada uno

Darle el biberón a un solo bebé mientras el otro (o los otros) están felizmente ocupados es el ideal porque le permite interactuar directamente con cada uno. Si los bebés se ajustan rápidamente a un horario, tal vez unos estén dormidos mientras usted alimenta a otro. Sin embargo, ¡esto no sucede siempre!

Si alguien le ayuda, alterne al bebé que *usted* alimenta incluso si alguno acepta fácilmente a la otra persona. Es importante experimentar la cercanía directa con cada uno. También es necesario rotar entre el padre y la madre; un padre de unos gemelos siempre alimentaba al bebé que comía más rápido y eructaba menos, y empezó a alternar cuando se dio cuenta de que estaba empezando a sentirse más cercano al que alimentaba siempre.

Alimentarlos al tiempo

Alimentar a dos bebés al tiempo puede ahorrarle tiempo. Haga turnos para establecer contacto visual con cada uno. A medida que se va formando el triángulo amoroso, llame a cada uno por su nombre; será testigo del amor que existe entre los bebés así como entre usted y cada uno de ellos.

Alimentarlos al tiempo se va haciendo más fácil a medida que van creciendo. Usted ya sabe cuáles son las posiciones que mejor funcionan para todos. Si tiene más de dos bebés, no alimente siempre a los mismos al tiempo. Estas son las formas más comunes para alimentar a varios bebés al tiempo:

- Tanto usted como sus bebés pueden estar cerca y más cómodos si los alimenta estando sentada en la cama, en el sofá o en un sillón grande, y los bebés acomodados sobre almohadas a su lado. Algunas madres usan una almohada diseñada para amamantar a dos bebés al mismo tiempo.

- Ponga a cada uno en una silla para bebé, siéntese entre los dos con un biberón en cada mano y uno de sus brazos sobre el cuerpo de cada bebé mientras comen. Haga turnos para sacarles los gases. Si las sillas no parecen muy estables, ensaye a ponerlos en un coche o en algo más pesado.

- Utilice almohadas y muebles. Sostenga y alimente a uno mientras el otro está acostado a su lado con el biberón apoyado en su pierna.

- Si los bebés necesitan eructar con frecuencia, apoye los dos biberones al principio para poder alzar rápidamente al bebé que la necesita para sacarle los gases. Para apoyar los biberones, utilice cobijas pequeñas, toallas o pañales limpios enrollados. También puede comprar los equipos especiales para apoyar los biberones, o para alimentar "sin manos", que se ajustan a las sillas de los bebés.

- Apoyar el biberón es una opción que se debe usar muy poco, ya que puede ocasionar infecciones en el oído. Los bebés cargados en brazos están en un mejor ángulo porque la cabeza está más elevada que su tracto digestivo.

Nunca deje solo a un bebé con un biberón apoyado. Los bebés se asfixian con mucha facilidad y pueden aspirar fluido en los pulmones. Apoyar el biberón es para que los bebés estén más cómodos, no para que usted tenga tiempo libre. No se deje engañar por una falsa sensación de seguridad porque ya lleva semanas apoyando el biberón y "no ha pasado nada". ¡Puede pasar en cualquier momento!

- A medida que sus bebés se vayan haciendo más fuertes, siéntese en el suelo con las cabezas de los pequeños apoyadas sobre una pierna estirada y sus cuerpos entre sus piernas. Mientras usted sostiene los biberones con una mano, acarícieles la cabeza con la otra; esta posición les permite abrazarse entre sí.

No es sólo una rutina

Alimentar a sus bebés no debe convertirse en una tarea o una rutina. La comida en familia es un momento de reunión social importante que comienza cuando usted alimenta a sus pequeños, y debe ser un momento agradable en el que tanto los padres como los bebés tienen la oportunidad de fortalecer su amor y disfrutar juntos.

18 Combinar el pecho y el biberón

A lo mejor usted se pregunta si es posible combinar la alimentación con pecho y biberón. La respuesta es: sí. El uso de biberones complementarios o suplementarios puede ser compatible con la lactancia, pero hacerlo sólo con la mitad de los bebés rara vez funciona. La clave de esta combinación es entender cómo funciona el cuerpo de la madre que está amamantando y los sacrificios que esto implica.

Cuando los bebés llevan la leche desde el seno hacia su boca al ser amamantados, le indican al cuerpo de la madre que debe continuar con la producción de leche, o incrementarla. No es posible mandar ninguna señal si uno de los bebés recibe biberón en lugar de ser amamantado, y en ese caso los senos de la madre restringen la producción de leche. Abusar del uso del biberón en las primeras semanas y en los primeros meses disminuye de *manera considerable* la producción de leche y puede producir un destete temprano.

Al combinar la alimentación con leche materna y leche de fórmula se deben hacer ciertos sacrificios. Las propiedades antiinfecciosas y antialérgicas de la leche materna son mucho menos efectivas al utilizar leche de fórmula. De todos modos, los bebés que son alimentados parcialmente con leche materna tienen, estadísticamente, menos episodios de enfermedad en el primer año que los bebés alimentados solamente con leche de fórmula. Algunas madres continúan

extrayendo su leche para amamantar parcialmente a los bebés y seguir alimentándolos sólo con leche materna.

¿Por qué combinar?

Los gemelos, trillizos y demás tienden a demorarse más que
un solo bebé en empezar a mamar debido a un parto prematuro, a complicaciones al nacer o a un manejo inadecuado de
la lactancia al comienzo. Al salir del hospital, muchos de ellos
aún están recibiendo la leche extraída de los senos de su madre o leche de fórmula. Además, puede ser más complicado
superar un comienzo difícil al tener que cuidar a varios bebés, y muchas madres siguen alimentándolos con biberones
porque no saben cómo dejar de usarlos.

Otras madres deciden complementar o suplementar la
lactancia por diversas razones. Algunas tienen una preocupación real (otras, percibida) de que no pueden producir leche
suficiente para tantos bebés. Debido a sus demás responsabilidades, algunas madres piensan que no tienen suficiente tiempo en el día para todas las horas que se necesitan para amamantar a más de un bebé, por eso es probable que necesiten ayuda o
que utilicen biberones cuando otras personas cuidan a los bebés.

Incrementar la producción de leche materna

Para compensar un comienzo lento, unos cuantos días de
lactancia a cada hora, a medida que los bebés van mejorando
su habilidad para mamar, suele ser suficiente para incrementar la producción de leche. Si esto le parece abrumador o le es
imposible, haga la transición lenta del biberón al pecho.

Cuando uno de los bebés dé alguna señal de querer ser
alimentado, como lamer, hurgar, llevarse las manos a la cara
o llorar, ofrézcale el seno, si puede.

- Vaya disminuyendo de 15 a 30 mililitros de leche extraída (o de fórmula) en el biberón, cada día, durante varios días. Los bebés darán cada vez más las señales de que quieren ser amamantados, y la cantidad de pañales disminuirá pronto. En cuanto alguno de los bebés haya establecido una rutina de 8 a 12 comidas al día, disminuya otra vez entre 15 a 30 mililitros por biberón al día, hasta alcanzar su meta.

- Hay ciertos equipos para amamantar que ayudan a los bebés a hacer la transición más rápido y a incrementar la producción de leche. Por ejemplo, un tubo para amamantar como el sistema suplementario de Medela provee suplemento a medida que uno o dos son amamantados. Esto le permite ahorrarse el tiempo que toma "complementar" la comida con un biberón después de amamantar y ayuda a incrementar la producción de leche. Un delgado revestimiento de silicona para el pezón puede ser útil si alguno de los bebés tiene dificultades para mamar. Alquile una balanza digital para pesar a cada bebé antes y después de ser amamantado; esta es una forma bastante confiable de saber cuánta leche está recibiendo el bebé y para determinar si se necesita más leche, y cuánta.

- Continúe extrayendo leche durante varios minutos después de amamantar utilizando un extractor eléctrico hasta que todos los bebés puedan ser amamantados sin la ayuda de ningún otro mecanismo (algunas madres siguen extrayendo leche para complementar las comidas con su propia leche).

- *Permita que otras personas le ayuden*, así no se sentirá abrumada. Esto le dará tiempo para practicar y extraer leche constantemente y poder seguir produciendo leche.

- *Manténgase en contacto* con una asesora para la lactancia o algún grupo de apoyo. Ellos pueden sugerirle modos alternativos para alimentar a los bebés, ayudarle a utilizar ciertos dispositivos o enseñarle cómo incrementar la producción de leche, y darle ánimos (ver apartados 16 y 30).

¿Están recibiendo suficiente leche?

Las madres suelen preguntarse si están produciendo suficiente leche para sus bebés, pues los senos no vienen con marcas para contar los mililitros. Si esto le preocupa, revise los cuadros de registro descritos en el apartado 16 para ver si en 24 horas los bebés (que están siendo amamantados por completo, o casi por completo) suelen:

- estar satisfechos con 8 a 12 comidas
- mojan 6 o más pañales
- hacen 3 o más deposiciones sueltas
- ganan, *por lo menos*, 15 gramos.

Si la respuesta es "sí", ¡la madre está produciendo suficiente leche!

Lo mejor es prevenir

Cuando los bebés pueden ser amamantados desde un principio, es mejor evitar el uso del biberón o de leche de fórmula hasta que la producción de leche se haya estabilizado después de haberlos amamantado durante varias semanas. Esto les dará tiempo a los niños para aprender a succionar y a obtener leche de los senos.

A algunos recién nacidos les cuesta más agarrase del seno si reciben biberones en las primeras semanas, y esto puede añadir tiempo y frustración al proceso de lactancia. Si alguno de los bebés tiene dificultades para agarrarse del pezón o para obtener la leche, usted necesita apoyo extra (ver apartado 30).

Combinaciones realistas

Las mejores estrategias para una lactancia parcial afectan muy poco la producción de leche. Ésta es una situación en la que "menos es más", por eso es mejor "complementar" en lugar de "suplementar". Un *complemento* quiere decir entre 15 y 60 mililitros de leche extraída o de fórmula después de amamantar. Un *suplemento*, en cambio, reemplaza la lactancia.

Un complemento después de amamantar por la noche parece tener muy poco efecto en la producción de leche. Muchas madres señalan que la producción de leche parece ser más baja durante estas horas y que esto les permite dormir un poco más; además, éste es un momento en el cual el padre suele estar disponible. Si uno de los objetivos es acostumbrar a los bebés a utilizar el biberón, no es necesario complementar la lactancia todos los días.

- No es necesario complementar cada vez que amamanta al bebé, ni siquiera para que gane más peso, a no ser que el bebé siga teniendo problemas para mamar. Complementar con tanta frecuencia consume mucho tiempo y puede afectar la producción de leche.

- Un suplemento ocasional o diario debería tener un efecto mínimo en la producción de leche si todos los bebés son amamantados *por lo menos* entre siete y ocho veces al día. Sin embargo, saltarse o retrasar una comida mientras está produciendo leche para varios bebés puede hacer que los conductos mamarios se obstruyan porque los senos están demasiado llenos o producir una mastitis (infección en los senos).

Los efectos de alternar el seno y el biberón

Alternar el seno y el biberón puede parecer la solución perfecta, pero en realidad combina las desventajas de los dos métodos. El destete temprano es común porque la rutina de alternar disminuye la producción de leche, incrementa la confusión de los bebés entre boquillas y pezones y es demasiado trabajo para la mayoría de las madres. No obstante, ciertas formas de alternar funcionan bien al tener trillizos o más.

Por lo general, alternar con gemelos adquiere una forma de dos: (1) amamantar a uno y darle un suplemento al otro en cada comida, o (2) amamantar a los dos en una comida y darles un suplemento a los dos en la siguiente. Con cualquiera de las dos formas, la madre invierte la misma cantidad de tiempo y esfuerzo al amamantarlos y al darles el suplemento. Si les da leche de fórmula, los bebés necesitarán más tiempo para digerirla y es probable que se salten una comida, lo que influye en la producción de leche. Un método para alternar puede funcionar mejor si la madre: (1) tiene quién le ayude a darles el biberón a los bebés y a prepararlos y lavarlos, (2) utiliza un extractor eléctrico para incrementar o mantener la producción de leche, y (3) amamanta a cada bebé por lo menos cuatro veces en 24 horas para un mínimo total de ocho lactancias diarias.

Estos métodos para alternar parecen funcionar mejor si tiene más de dos bebés. Puede ser de gran utilidad que las personas que le ayudan puedan alimentar a uno o dos bebés y limpiarlos después. Además, así se pierden menos posibilidades de amamantar puesto que es más probable que al menos un bebé sea amamantado en todas las comidas, o al menos en la mayoría. Al utilizar estos métodos, las madres tienden a rotar los bebés que son amamantados y los que reciben biberón.

Alimentar con biberones de leche materna

Algunas madres continúan extrayendo leche para alimentar con ella a alguno de los bebés, o a más, durante semanas y meses. El resultado de esto, a veces, es que la madre casi nunca vuelve a darles pecho pues prefiere darles biberones de leche materna. Lo más frecuente es que la madre se sienta abrumada al alimentar a dos o tres bebés prematuros, que son pequeños y tienen dificultades para mamar después de salir de la UCIN.

Esto tiene sus ventajas y sus desventajas. Sin duda alguna, la leche de la madre es la mejor para sus bebés y contiene los anticuerpos para protegerlos contra muchas enfermedades, pero no es lo mismo que amamantar, pues esto requiere la presencia de la madre y proporciona oportunidades importantes para ir conociendo a cada bebé. Además, al amamantar se transfieren propiedades antiinfecciosas.

No es recomendable amamantar completamente a uno de los bebés y darle biberón al otro (o a los otros), incluso si usa sólo leche materna, porque puede afectar la relación de la madre con cada uno. A veces, la madre amamanta completamente a uno, pero la falta de tiempo y las dificultades para mamar significan que el otro sólo es amamantado cuando es posible. Cuando alguna complicación al nacer o un defecto físico afecta la habilidad del bebé para mamar, es probable que ni siquiera pueda "intentar" amamantarlo. En este caso, la madre deberá alimentarlo con la mayor frecuencia posible e incrementar otras formas de contacto directo con él.

Lactancia exitosa

Amamantar a sus bebés es el ideal de la naturaleza, pero en realidad no tiene que ser "todo o nada". Los extractores modernos les permiten a las madres de gemelos, trillizos y más proveer leche para sus bebés cuando no pueden o no desean amamantar siempre. La leche de fórmula fue elaborada originalmente para situaciones especiales, y criar a más de un bebé entra en esa categoría, por supuesto.

Aunque muchas madres han amamantado a sus gemelos, y algunas a sus trillizos o cuatrillizos durante semanas y meses, las circunstancias de cada familia son únicas. Usted y sus bebés se beneficiarán de la experiencia de la lactancia sin importar cuál sea la cantidad ni la duración.

19 | Determinar la cigocidad

La célula que se forma cuando el óvulo es fecundado por el espermatozoide se llama cigoto, y la cigocidad se refiere al origen de los gemelos (trillizos, cuatrillizos o más) *fraternos* —cuando se desarrollan dos (tres, cuatro o más) cigotos separados— y al origen de los gemelos (trillizos, cuatrillizos o más) *idénticos* —como resultado de la separación de un solo cigoto—. Para hablar de la cigocidad también se utiliza el término "tipo de gemelos", incluso cuando se trata de tres o más bebés (ver apartado 1).

Hay razones físicas y emocionales para querer saber si los bebés son fraternos o idénticos, pues la cigocidad es tan importante como sus rasgos individuales, su temperamento, sus patrones de crecimiento y demás. La salud puede verse afectada por la cigocidad, y ésta es crucial para el tratamiento de determinadas enfermedades.

Pruebas de la cigocidad

En algunas ocasiones se puede determinar la cigocidad fácilmente. Los bebés son *fraternos* cuando son de diferente sexo, cada uno tiene un tipo de sangre distinto, o el color de pelo es diferente. Si al examinar la placenta se descubre un solo corion, los bebés que han compartido esa membrana (y la placenta) son *idénticos*.

Pero no siempre es posible determinar la cigocidad sólo por las apariencias. Algunos estudios informales han indicado que entre el 15 y el 25 por ciento de los padres no están seguros de si sus hijos son idénticos o fraternos. A muchos les dieron un diagnóstico de la cigocidad cuando los bebés nacieron, pero ellos dudaron de esos resultados después.

Los factores utilizados para determinar la cigocidad pueden no ser acertados. El tamaño y la forma de la cabeza, el peso, la altura y el tono de la piel al nacer no indican la cigocidad. El crecimiento y el desarrollo posterior de los bebés puede verse afectado por cuestiones relacionadas con el embarazo, por tanto, éstos tampoco son factores confiables. Los bebés nunca experimentan exactamente las mismas condiciones dentro del útero, y la exposición a ambientes que no son del todo iguales durante el embarazo, el parto y el período inmediatamente posterior al nacimiento, puede ser la causa de diferencias a corto y a largo plazo en gemelos (trillizos, cuatrillizos, etcétera) tanto fraternos como idénticos.

Si no está segura de si sus bebés son idénticos (monocigóticos) o fraternos (dicigóticos o policigóticos), busque más evidencias físicas a medida que crecen. Los gemelos (trillizos, cuatrillizos, etcétera) monocigóticos tienen:

- el mismo sexo
- el mismo tipo y subtipo de sangre
- el mismo color de ojos
- el mismo color de pelo y la misma textura
- las mismas facciones faciales y la misma forma de las orejas
- la misma complexión física

También suelen desarrollar los mismos gestos. Los patrones del crecimiento y desarrollo tanto físico como mental tienden a ser muy parecidos, a no ser que alguno haya sido afectado por un factor relacionado con el embarazo o el parto. Por mucho que se parezcan entre sí los hijos de una familia, demuestran muchas más variaciones en la apariencia, el crecimiento y el desarrollo (en edades comparables) al ser comparados con unos gemelos monocigóticos.

Otra clave está en la manera como reaccionan las otras personas. Cuando los niños son idénticos, los parientes y los amigos tienden a confundirlos. Incluso a los padres puede costarles distinguirlos cuando están dormidos aunque puedan reconocerlos fácilmente cuando están despiertos; sin las personalidades que animan sus rasgos, los bebés idénticos tienden a parecerse aun más.

Determinación científica de la cigocidad

Cuando las pruebas físicas no son suficientes, la cigocidad se puede determinar con certeza por medio de un análisis del subtipo de sangre y pruebas de ADN. Cuando la gente habla del tipo de sangre, la mayoría de las veces se refiere a los tipos principales: A, B y O. Pero cada persona tiene varios subtipos. Los gemelos fraternos pueden compartir el mismo tipo principal de sangre y el RH, pero las diferencias se hacen visibles al analizar los subtipos. La creciente facilidad para realizar las pruebas de ADN ha ido reemplazando el uso de los análisis del subtipo de sangre como método para determinar la cigocidad.

Las pruebas de ADN analizan áreas de la información genética en busca de la repetición de componentes específicos. El ADN de todas las personas muestra áreas que se repiten, pero los patrones de repetición varían de una persona a otra, excepto en los hermanos idénticos. Los científicos pueden estar seguros de la cigocidad en un 99 por ciento al comparar el ADN y el "patrón de repetición" en gemelos (trillizos, cuatrillizos y demás) del mismo sexo.

El análisis genético (es decir, del ADN) es el método más confiable para determinar la cigocidad. Hasta hace muy poco, el alto costo de estas pruebas era un impedimento, además de que se necesitaba tomarle muestras de sangre a cada niño y algunos padres no deseaban someter a sus hijos a esto.

Los nuevos métodos no son costosos y son tan acertados como los anteriores, y son tan fáciles que los padres pueden hacerlos en casa. Hay un tipo de análisis que se puede pedir por correo y que consiste en insertar un algodón en la parte interior de la mejilla del niño para tomar una muestra de sus células (todas las células contienen ADN). Una vez tomada la muestra, el algodón se guarda en una solución especial y se envía al laboratorio para analizarlo. Unas semanas después, los padres reciben el resultado por correo.

Ellos necesitan saberlo

La cigocidad hace parte de la identidad de sus hijos, es un aspecto importante de quiénes son. No se deje convencer de que la cigocidad no importa; si los padres o los hijos quieren saberlo, entonces es importante.

20 | Empezando a conocer a sus bebés

Últimamente, el proceso de establecer vínculos afectivos tiende a ser visto como una especie de pegante instantáneo que sella misteriosamente la relación de los padres con el recién nacido durante un momento mágico después del parto. Pero este proceso continuo en el que los padres se "enamoran" del bebé empieza en el embarazo y sigue después del parto. Los humanos fueron diseñados para enamorarse de una sola persona a la vez y, por lo general, los padres tienen un solo hijo del cual enamorarse. Sin embargo, los padres de gemelos, trillizos, o más, *deben* enamorarse de dos, tres o más personas al mismo tiempo.

La interacción de los padres con cada bebé por separado crea los cimientos de la noción de identidad de cada uno. Por lo tanto, el proceso de esta relación está íntimamente entrelazado con el desarrollo de la identidad de cada uno. Cuando empiezan a caminar y a ir al preescolar, los niños van reconociendo si son amados y valorados como individuos o como un grupo.

Un proceso diferente

Aprender a amar a dos bebés al mismo tiempo es muy distinto a enamorarse de uno solo, y este proceso se hace aun más complicado a medida que el número de bebés aumenta. Desarrollar un vínculo fuerte e individual con cada uno de los bebés puede tomarle meses e incluso años; mucho más que para los padres de un solo hijo.

Esto tiene muchas razones, y hay diversos factores que pueden complicarlo. Después de un parto múltiple es menos probable que pueda darse ese contacto inicial y prolongado que fortalece los primeros sentimientos de afecto. El parto prematuro y otras complicaciones del embarazo múltiple suelen ocasionar la separación entre los padres y los bebés y, por tanto, menos oportunidades de contacto. Incluso, cuando el nacimiento y las condiciones después del parto son ideales, puede ser difícil relacionarse con cada bebé por separado.

Durante el embarazo, los padres se imaginan a sí mismos cuidando a su bebé después del parto. Pero el bebé de las ensoñaciones prenatales es una ilusión, y esa ilusión coincide con la realidad cuando se establecen vínculos afectivos con un solo bebé.

Las fantasías prenatales se multiplican al esperar más de un bebé. Piense en la vida de sus fantasías prenatales. ¿Se imaginaba que sus bebés serían idénticos o fraternos? ¿Se imaginaba que serían del mismo sexo o más bien niños y niñas? ¿Qué tanto se parecían temperamental y físicamente? Tal vez usted se imaginaba que sería una vida fácil con unos bebés plácidos, para después darse cuenta de que se trata de varios bebés con sus particularidades.

Empezar a conocer y aceptar a esas personitas diferentes y complicadas que usted ha dado a luz, y no a las que se imaginaba, toma su tiempo. Pero el tiempo, o la ausencia del mismo, es uno de los factores cruciales en el proceso prolongado de creación de lazos afectivos. Es muy probable que los períodos tranquilos para disfrutar con un solo bebé sean escasos y breves. También es muy fácil perder esas pequeñas oportunidades de aprovechar unos minutos con uno solo al tener que cuidar a varios bebés al mismo tiempo en medio de un vertiginoso carrusel.

Para tener en cuenta

Establecer los lazos afectivos con cada bebé por separado es crucial tanto para los padres como para los bebés, sin importar cuánto dure este proceso. El bienestar y la salud física y emocional de cada bebé dependen del desarrollo de un vínculo imperecedero con sus padres. La relación entre hermanos nunca podrá reemplazar la relación de cada uno con sus padres.

Aparte de la necesidad que cada bebé tiene de relacionarse con sus padres, éstos también necesitan sentir un lazo profundo con cada uno de sus hijos. Después de todo, las relaciones que los padres establecen con sus hijos son la verdadera recompensa de la crianza.

Relájese, pues la mayoría de los padres establecen lazos afectivos fuertes e individuales con cada bebé. Y no crea que usted y sus hijos tendrán que recorrer el camino de la vida sin ese lazo si:

- No puede disfrutar del contacto inicial y prolongado
- Tiene que separarse de alguno o varios de sus bebés después del parto
- Después de salir del hospital, tiene poco tiempo para interactuar con cada bebé por separado.

No pase por alto las preocupaciones que pueda tener acerca del proceso afectivo con uno o con varios de sus bebés, pero dése tiempo a usted misma y a sus bebés para empezar a conocerse.

21 | El proceso afectivo

La creación de los lazos afectivos con gemelos, trillizos o más puede empezar de muchas maneras. Puede que el padre o la madre desarrolle un sentimiento especial hacia alguno de los bebés antes que los otros. A veces estos sentimientos por uno de ellos persisten, a veces alternan entre los bebés. Algunos padres establecen ese lazo inicial con todos los bebés como una unidad, es decir, crean un vínculo de grupo antes de desarrollar el lazo afectivo con cada uno por separado.

Un lazo preferencial

Hay ciertas situaciones que conducen a la creación de un lazo preferencial con uno de los bebés. Por ejemplo, es probable que los padres sientan una cercanía inicial con el bebé que responde primero o con el que interactúan primero. Al parecer esto sucede con más frecuencia cuando un bebé prematuro o enfermo puede establecer contacto visual con sus padres antes que el otro; o cuando uno de los bebés recibe los cuidados de la madre en la habitación del hospital mientras el otro está en la UCIN, o cuando un bebé sale de la UCIN antes que el otro (ver apartado 47).

- Por lo general, el bebé que puede responder primero suele ser el mismo que puede gozar primero del cuidado de los padres.

- Las madres dicen que se sienten más encariñadas con el bebé al que pueden cuidar constantemente, mientras que los padres suelen pasar más tiempo al principio con el que está en la UCIN y se sienten más cercanos a éste.

- Ocasionalmente, los padres que están separados de un bebé que está en la UCIN sienten un lazo físico y desarrollan un vínculo más cercano con ese bebé al que no pueden cuidar.

- Es probable que el gemelo o el trillizo que nace primero reciba un tratamiento preferencial. Y es probable que el segundo gemelo (y el tercer trillizo) se vea afectado por complicaciones que requieren un cuidado especial, lo que puede contribuir a la creación de un lazo preferencial con el primero.

- Aunque las ecografías han ayudado a disminuir la cantidad de bebés "no esperados", sigue habiendo partos de gemelos no diagnosticados. Una madre que descubrió que iba a tener gemelos durante el parto dijo: "Por mucho tiempo vi al primer gemelo como 'mi' bebé. Era el bebé que yo había imaginado durante el embarazo. Pasó un buen tiempo hasta que pude ver al segundo bebé 'sorpresa' como algo más que un intruso".

- A veces, la madre o el padre se siente más cercana(o) al bebé "desamparado", es decir el bebé por el que, por alguna razón, los demás se sienten menos atraídos. Este suele ser el bebé que exige más atención, por lo que la madre o el padre se ve forzada(o) a buscar tiempo para interactuar con él, es probable que esto suceda porque el padre ha tenido más oportunidad de conocer y apreciar las características especiales de este bebé.

- Los grupos de niños y niñas pueden presentar una circunstancia especial. Si el padre o la madre deseaba un bebé de un sexo específico, lo natural es que se sienta atraído(a) por el del sexo deseado. En esta situación, una separación inicial debido a una estadía en la UCIN puede hacer que esos sentimientos aumenten o disminuyan, dependiendo de cuál bebé, y de qué sexo, responda más rápido o esté al cuidado de los padres inicialmente.

- Si alguno de los bebés nace con una condición física o una discapacidad específica, es posible que los sentimientos sean desiguales. Una vez más, un bebé "perfecto" tiende a ser el que responde más rápido y el que goza primero del cuidado de los padres, y esto puede influir en la creación de los lazos (ver apartado 47).

- A veces, el padre o la madre siente cierta "química" con alguno de los bebés; esto es más común cuando son *fraternos*, porque éstos tienden a tener temperamentos muy distintos.

- Puesto que preferir a uno de los bebés puede ser muy duro para todos los miembros de la familia, es importante reconocerlo y esforzarse por fortalecer la relación con los demás bebés (en el apartado 23 encontrará algunas sugerencias).

Alternancia de lazos

A veces el padre o la madre se siente más cercano(a) a uno de los bebés, pero después de unas semanas empieza a sentirse más cercano(a) al otro. Cuando los sentimientos y la cercanía cambian de un bebé a otro (y de vuelta al primero) con el paso de las semanas, hay una *alternancia de lazos*.

Algunos padres se dan cuenta de que, desde el primer día, sus sentimientos y la atención hacia sus bebés van cambiando. Otros padres establecen primero el vínculo afectivo con todos los bebés como conjunto, pero empiezan a alternar a medida que van estableciendo una relación directa con cada uno. Si las semanas transcurren y no experimenta ningún cambio, es probable que esté desarrollando un lazo preferencial.

Lazos con el grupo

A diferencia de los padres que establecen vínculos primero con uno de los bebés, algunos se sienten más cercanos al grupo, al que ven como una unidad antes de encariñarse directamente con cada uno. Esto suele suceder más cuando los padres pueden cargar y cuidar a los dos gemelos o a todos los trillizos después del parto.

En este caso, los padres tienden a ver a los bebés como una unidad, como una sola entidad. Un padre describió este fenómeno con estas palabras: "Siento como si tuviera un bebé que me mantiene ocupado permanentemente, aunque mi cerebro sabe que tengo dos bebés y yo puedo ver a dos bebés frente a mí". Ver a los bebés como una unidad puede ser una de las razones por las que los padres los visten iguales, y esto es más frecuente cuando los gemelos o los trillizos (o más) son idénticos. Por lo general, esto tiene que ver más con la semejanza en sus ritmos corporales que con las similitudes físicas, pues a muy pocos padres les cuesta distinguir a sus hijos idénticos.

Para hacer más interesante el proceso afectivo, algunos gemelos (trillizos, cuatrillizos, etcétera) idénticos se imitan entre sí e intercambian ciertos comportamientos justo cuando los padres creían que ya podían reconocer las respuestas de cada uno. Aunque esto puede crear confusión en los padres que están tratando de conocer a cada uno de sus hijos por separado, imitarse es muy común entre los hermanos idénticos y suele suceder en los momentos de cambio en los patrones de desarrollo. Cuanto más se parezcan los temperamentos de unos gemelos (trillizos, cuatrillizos, etcétera) fraternos, más posibilidades hay de que se imiten. Esto es muy común durante el primer año y va desapareciendo a medida que crecen.

Cuanto menos se parezcan y menos parecido actúen los hermanos, menos tiempo toma reconocerlos y desarrollar vínculos individuales con cada uno. Por lo general, cuando los bebés son de distintos sexos los padres rápidamente dejan de verlos como una unidad y descubren la singularidad de cada uno. Y esta parece ser una progresión lógica, porque los gemelos de sexo opuesto tienden a ser más distintos en apariencia y en temperamento.

Alternancia y unidad

Aunque es posible que los padres sientan que el proceso afectivo con sus hijos sigue un estilo homogéneo, es común que la alternancia y la unidad se den al mismo tiempo. Es posible que los padres sientan una cercanía inicial hacia uno de los bebés y, a la vez, tiendan a enfatizar la unidad en ciertas circunstancias. Ver a los bebés como una unidad también suele dar pie al proceso de alternancia de lazos cuando los padres concentran su atención en uno de los bebés durante un tiempo y después se concentran en otro. Esta es otra de las razones por las que el proceso afectivo toma más tiempo al dar a luz a más de un bebé.

En cualquier caso...

Independientemente de cómo afecte la situación el proceso afectivo, todos los bebés merecen una relación especial con su padre y con su madre. Entender que el desarrollo de los lazos afectivos varía al tener más de un bebé puede proporcionarle una base a partir de la cual mejorar la relación con cada uno de sus bebés.

22 | Fortalecer los lazos

Hoy es un buen día para que los padres empiecen a fortalecer los lazos emocionales con sus hijos sin importar qué edad tengan. Las buenas relaciones no se dan "porque sí" y, por eso, al estar involucrado en una relación a largo plazo hay que esforzarse por construirla.

Los padres deberían examinar frecuentemente la relación que tienen con cada uno de sus hijos para ver si es tan buena como podría o debería ser. Al hacerse conscientes de cómo varía el proceso afectivo con sus hijos, los padres pueden hacer un alto y analizar objetivamente su interacción con cada uno de ellos. He aquí las recomendaciones de algunos padres:

- Fíjese en la manera como se refiere a sus hijos. ¿Suele decirles "los gemelos" ("los trillizos", "los cuatrillizos", etcétera), "los niños", "las niñas", "el niño y la niña", o simplemente "ellos", en lugar de llamarlos por sus nombres? Si es así, es posible que los esté viendo como una unidad.

- ¿Se refiere a uno (o a dos) por su nombre y al otro (o los otros) por el sexo, por ejemplo: "Juan y la(s) niña(s)", o suele llamar a alguno por su nombre y a los otros como "él", "ella" o "ellos"? En este caso, pregúntese si está experimentando un *lazo preferencial*, lo que puede afectar el desarrollo de vínculos estrechos con todos sus bebés.

- ¿Siente que tiende a responder rápidamente al llamado de uno (o dos) de los bebés en particular pero se siente menos interpelado cuando otro(s) necesita(n) atención? Esta puede ser otra señal de un lazo preferencial.

- ¿Está dejando en la trastienda el desarrollo de la relación con cada bebé para poder cumplir con las labores diarias? Al preguntarles a los padres antes del parto por qué quieren tener hijos, su respuesta se suele centrar en el deseo de desarrollar una relación con cada uno de los bebés. Sin embargo, es fácil descuidar este aspecto después del nacimiento de gemelos, trillizos, o más, al tener que cumplir con doce a treinta comidas, el cambio de entre veinte y cuarenta pañales, los dos o más baños… ¡todos los días!

Los padres que han dado a luz a más de un hijo han encontrado diversas maneras de desarrollar un lazo profundo con cada uno; todas implican cambios sencillos en el comportamiento de los padres:

- No pierda tiempo en culparse por los sentimientos desiguales. La culpa es un gasto innecesario de energía mental, y usted necesita toda su energía para cuidar a sus bebés. Más bien felicítese por reconocer el problema y utilice su energía para interactuar con más frecuencia con los bebés menos favorecidos.

- Haga un esfuerzo decidido por incrementar el contacto de piel a piel por medio de masajes y abrazos, con cada bebé o con dos (o más) al mismo tiempo y con la mayor frecuencia posible. Establecer y conservar un lazo afectivo entre dos seres humanos depende del contacto directo. El cuidado "canguro" no es sólo para los bebés prematuros, y un niño nunca será demasiado grande para recibir caricias, abrazos y besos.

- Los padres de gemelos, trillizos o cuatrillizos dependen más de los artículos para bebés que los padres de uno solo, por esa misma razón deben evaluar con frecuencia *el uso de esos artículos* frente a un uso exagerado o un abuso, porque esto puede disminuir seriamente la interacción entre padres e hijos. En todo caso, un buen equipamiento puede hacer más fácil la vida diaria y ayudar a los padres a fortalecer las conexiones individuales con sus hijos a través del contacto. Por ejemplo, uno de los padres puede alternar entre cargar a uno de los bebés (o a dos) en una especie de canguro que le deja una o dos manos libres para acariciar a otro bebé. Para la gran mayoría de bebés y niños pequeños, sentarse en una silla mecedora sobre el regazo de la madre o del padre es mejor que cualquier invento fantástico.

- Aproveche las comidas, el cambio de los pañales y la hora del baño, entre otros, para tener unos minutos de *contacto directo* con cada uno de los bebés. Use su imaginación para disfrutar esos momentos a medida que los niños crecen.

- En cuanto haya establecido *contacto visual* con uno de los bebés en particular, usted está en realidad solamente con ese bebé, aunque también esté cargando a otro. Háblele e imite sus expresiones faciales durante unos minutos. Después establezca contacto visual con el otro y concéntrese en él durante unos minutos.

- Es probable que los padres se hayan tomado un buen tiempo para escoger los nombres de sus bebés. *Llame a cada uno por su nombre* al hacer contacto visual, esto le ayuda a cada bebé a aprender que ese nombre específico es suyo.

- *Responda a las necesidades individuales* de cada bebé y no a las del grupo (ya sean gemelos, trillizos, cuatrillizos o más). Intentar tratarlos a todos exactamente igual es una estrategia destinada al fracaso, porque cada bebé es un individuo. Cada uno tiene necesidades diferentes, y éstas cambiarán con el tiempo. Si tiende a verlos como una unidad, piense en cómo respondería si hubieran nacido con un año de diferencia. Lo más probable es que no se le ocurriría tratarlos exactamente igual y que no tendría que pensar dos veces si debería darle a cada bebé el tipo de atención que cada uno necesita.

Los lazos emocionales que se desarrollan durante la infancia marcan el tono de una relación que durará toda la vida. Como sucede con todas las relaciones, éstas seguirán requiriendo el compromiso de los padres y una inversión constante de tiempo y energía. La recompensa es un fuerte lazo entre los padres y sus hijos que se fortalece a medida que los niños crecen.

23 La diferenciación inicial

La diferenciación inicial es el proceso que se da cuando los padres comparan consciente e inconscientemente las diferencias y las semejanzas de sus bebés. Estas comparaciones ayudan a los padres a aprender a distinguir el estilo de comportamiento de cada uno de sus bebés o sus modos de enfrentar la vida. La diferenciación, el proceso afectivo y la individualidad están íntimamente relacionados. Buscar las diferencias entre dos o más recién nacidos es una de las formas en que los padres empiezan a conocer a sus bebés como individuos. La cigocidad (es decir, si son idénticos o fraternos) influye con frecuencia en el proceso de diferenciación.

Las diferencias físicas

No hay dos personas exactamente iguales, ni siquiera los gemelos idénticos. *Siempre* hay diferencias físicas; éstas pueden ser obvias, como en los gemelos (trillizos, cuatrillizos, etcétera) fraternos, o pueden ser más sutiles, como en algunos fraternos y en la mayoría de los idénticos.

A la mayoría de los padres les cuesta distinguir a sus bebés idénticos en los primeros días o semanas. Con frecuencia, alguno tiene la cara más alargada y más delgada; también suele suceder que tengan una mirada distinta, y a veces alguno tiene una marca de nacimiento. Puede ser más difícil distinguir a los bebés idénticos cuando están dormidos porque en esos momentos no intervienen los gestos de la personalidad.

El comportamiento

El temperamento y su influencia en el comportamiento, al igual que los rasgos físicos, están relacionados con la herencia genética. Tanto el modo en que cada bebé se enfrenta a los sucesos y a las situaciones de la vida, como su personalidad en desarrollo, son una combinación de las características genéticas del temperamento más todos los factores del entorno. Los recién nacidos no pueden controlar su estilo de comportamiento así como tampoco pueden controlar el color de sus ojos ni sus rasgos faciales.

- Así como son más parecidos físicamente, los gemelos (trillizos, cuatrillizos, etcétera) idénticos suelen tener un comportamiento muy parecido. Si uno es tranquilo y suave es muy probable que el otro también lo sea, y si uno tiende a ser inquieto lo más probable es que el otro también lo sea. Sin embargo, el grado en que cada uno expresa las características de su temperamento o la manera como exhibe un estilo de comportamiento determinado pueden variar. A veces, al expresar ciertas cualidades, los gemelos idénticos parecen imitarse (ver apartado 21).
- Como sucede con todos los hermanos, los gemelos (trillizos, cuatrillizos, etcétera) fraternos pueden tener tipos de comportamiento parecidos o muy distintos. A veces los padres se preocupan innecesariamente al comparar a un bebé muy activo y veloz con otro más reposado y observador.

- El reloj interno que gobierna los ciclos de sueño también tiene componentes genéticos. Los hermanos idénticos tienden a despertarse para comer y dormir más o menos a las mismas horas; mientras que los fraternos tienden a presentar más variaciones (en las familias en las que es muy importante lograr que todos tengan un horario similar, muchos padres han notado que hay menos variaciones cuando los bebés comparten la cuna durante las primeras semanas o los primeros meses).

Crecimiento y desarrollo

- El itinerario de desarrollo de los bebés puede ser muy parecido o muy diferente. Cuando son idénticos tienden a engordar en la misma medida cada mes, a crecer la misma cantidad de centímetros y a desarrollar habilidades físicas en la misma proporción, a no ser que alguno tenga un problema de salud. Como sucede con todos los hermanos dentro de una familia, algunos gemelos (trillizos, cuatrillizos, etcétera) fraternos pueden crecer y desarrollarse siguiendo una curva parecida, pero también es posible que ésta varíe ampliamente.

- Algunos padres se preocupan cuando las diferencias en el desarrollo de los bebés fraternos son muy grandes. Cada uno muestra un patrón normal, pero la diferencia está, sencillamente, en que uno heredó la complexión muscular voluminosa del tío Bernardo mientras que el otro heredó la contextura pequeña y enjuta de la abuela.

- Los distintos patrones de comportamiento también

pueden crear confusión en los padres, y cuantos más bebés sean más confusión crearán. Si un bebé se queda mirando un móvil lleno de colores por mucho tiempo mientras que el otro demuestra a todo volumen que no le llama la atención en absoluto, los padres tendrán que recordarse a sí mismos lo distintos que pueden ser los tipos de comportamiento y el desarrollo de sus habilidades.

Fortalecer la diferenciación

El proceso de diferenciación puede ser otra herramienta que les ayude a los padres a desarrollar una relación con cada uno de sus bebés como individuos que hacen parte de un grupo. Los padres pueden estimular este proceso incluso en los días más ocupados.

- No preste atención a quienes le digan: "Nunca compare a los gemelos (trillizos, cuatrillizos, etcétera)". ¡Este consejo no es nada realista y es casi imposible de seguir! Descubrir las diferencias entre sus bebés implica, por supuesto, hacer comparaciones entre ellos. Todos los padres comparan a su bebé con otros bebés de la misma edad. Mientras distinga entre comparar y clasificar, no hay problema. Las comparaciones son generales y flexibles, y cambian a medida que los niños crecen. Las clasificaciones (como llamarlos "el feliz", "la inteligente", "el malgeniado") son rígidas y suelen quedarse durante mucho tiempo después de haber caducado.
- Fíjese en las diferencias físicas, ya sea que se parezcan mucho o poco. Si se parecen mucho y a usted le cuesta distinguirlos al principio, busque el modo de reco-

nocer al menos a uno (por ejemplo, a veces se puede identificar a uno por descarte porque no tiene una marca). Píntele una uña de una mano o de un pie a uno de los gemelos. Si tiene trillizos o cuatrillizos idénticos, utilice esmaltes de colores distintos para cada uno. Hay padres que les dejan las pulseras utilizadas en el hospital para diferenciarlos; en ese caso, es mejor que pida unas cuantas más para cambiárselas a medida que crecen.

- Fíjese también en las similitudes, esto también es una parte importante del proceso de diferenciación.

- Puesto que ha invertido un buen tiempo en escoger los nombres de sus bebés, llámelos por su nombre al hacer contacto visual con cada uno.

- Tómeles fotos, juntos y por separado.

- No se preocupe por ahora si siente deseos de vestirlos igual. Considere la posibilidad de ponerles vestidos iguales de distintos colores, o vestidos distintos del mismo color. Esta estrategia tiene en cuenta la particularidad del grupo y la singularidad del individuo.

- Familiarícese con la amplia variedad del crecimiento y el desarrollo infantil. Lea acerca del crecimiento y el desarrollo normal de los niños en los distintos grupos de edades y sus variaciones, esto le dará pistas en caso de que alguno no siga una curva típica en su desarrollo, lo cual es más común cuando los bebés fueron prematuros o sufrieron alguna complicación.

- Si sus bebés fueron prematuros, es probable que alcancen los momentos cumbres del desarrollo según la fecha prevista originalmente para el nacimiento (a las 37 semanas de gestación, o más) y no según su verdadera fecha de nacimiento. Pregúntele al obstetra cómo ajustar sus itinerarios de desarrollo y crecimiento.

- Identifique cuáles son las fortalezas de cada uno y aliméntelas. Si alguno tiene un temperamento más fuerte, recuerde que los bebés no son "buenos" o "malos", y que ellos tampoco escogen ser difíciles o fáciles. Todas las cualidades que plantean retos tienen aspectos positivos, y estos bebés suelen ser sensibles e inteligentes (ver apartado 33).

Los padres pueden influir en los patrones de desarrollo inherentes a cada bebé, pero no pueden cambiarlos. Los gemelos (trillizos, cuatrillizos y demás) tienen más posibilidades de alcanzar su potencial individual cuando todos son expuestos a un ambiente estimulante y a una amplia variedad de experiencias y, al mismo tiempo, son tratados como individuos.

La diferenciación temprana (notar y comparar las diferencias y similitudes de los bebés) proporciona una visión en "blanco y negro" de los miembros de un grupo (ya sean gemelos, trillizos o cuatrillizos). Asimismo, puede proporcionar una base a partir de la cual reconocer a cada bebé como un individuo único y puede ayudarles a los padres a superar la tendencia a verlos como una unidad (ver apartados 21, 22 y 24).

24 | Asuntos de individualidad

El rol de los padres es fundamental para el desarrollo de la relación entre los gemelos, los trillizos, los cuatrillizos, etcétera. Por ejemplo, los padres deciden si referirse a ellos como individuos o como grupo. Ellos también deciden, al principio, la ropa que les ponen y los juguetes con los que juegan. Y son quienes deciden si separar a los hermanos o mantenerlos juntos. Ya sean decisiones conscientes o inconscientes, el enfoque que los padres le den a la crianza de estos hijos se concentrará en el grupo o en los individuos que lo componen.

Aunque los padres pueden poner el énfasis en un enfoque determinado, la mayoría se sienten atraídos por el uno y por el otro. Es normal querer tratar a los bebés como iguales y al mismo tiempo como diferentes, por separado pero igual. Un padre puede decir que fortalece la individualidad de cada bebé y al instante asegurarse de que todo el barrio se entere de que tiene gemelos.

El enfoque que los padres le den a la crianza de sus hijos estará arraigado en el proceso afectivo. La relación con los padres es la primera relación de un bebé, y ni siquiera la relación entre los hermanos gemelos (trillizos, cuatrillizos o más) puede reemplazarla (ver apartados 20, 21 y 22). Dada la importancia de esta relación, un bebé que hace parte de un grupo (de gemelos, trillizos, cuatrillizos o más) tratará de satisfacer el deseo de sus padres y actuará más como un individuo o como parte de un "todo", es decir, hará lo que le ayude a ganarse la atención de sus padres.

Iguales pero distintos

Muchos padres sienten un deseo casi ciego de tratar igual a sus gemelos, trillizos o cuatrillizos, pero vestirlos iguales y dedicarles la misma cantidad de tiempo a cada uno puede ser más una "manía de igualdad" que tender a verlos como una unidad.

A algunos padres les preocupa que sus hijos, u otras personas, piensen que aman más a uno si no los tratan igual a todos. Asimismo, cuando los padres tienen que cumplir con múltiples labores, tratarlos igual a todos les da una sensación de orden. Y los niños a veces agravan la situación. En el momento en que los padres por fin sienten que están empezando a conocer a cada uno de sus bebés, éstos tienden a entrar en una fase en la que todos se sienten celosos del otro (o de los otros) y entonces todos exigen que se les trate igual. Si uno tiene un juguete determinado o atrae la atención de los padres, inmediatamente el otro (o los otros) también lo desea(n).

En este caso lo mejor es responder a cada uno por separado y no a todos como grupo. Ningún padre está obligado a tratarlos igual a todos, y tampoco es realista intentarlo. Cada gemelo (trillizo, cuatrillizo, etcétera) es un individuo aparte, como cualquier hijo. Cada uno necesita que los padres le presten atención y le dediquen tiempo a su manera, y estas necesidades cambian a medida que van creciendo. Pocos padres dudarían en responder de distinto modo a unos hijos nacidos con un año de diferencia. Los gemelos, los trillizos, los cuatrillizos y demás merecen ese mismo tipo de respuesta individualizada.

El síndrome de la fama

Nuestra cultura adora a los gemelos, los trillizos, los cuatrillizos y demás, quienes se convierten en celebridades y llaman la atención por donde quiera que vayan. Sus padres también se vuelven importantes y llaman la atención simplemente por haber dado a luz a varios bebés al mismo tiempo. Puede ser divertido estar en primera plana; aceptémoslo, hay momentos en los que la adulación del público puede alegrarles el día a unos padres agobiados y faltos de sueño. No tiene por qué sentirse culpable de aprovechar de vez en cuando la fama generada por sus bebés. Es más, hay padres que lo asumen como un mecanismo para asimilar esta nueva paternidad.

El problema surge cuando los padres pierden el norte y se toman demasiado en serio esa fama. Cuando esto sucede, los bebés se angustian y se pone en riesgo la individualidad de cada uno, pues esa fama depende de la unicidad que crea la unidad.

¡Atención! Los padres pueden sufrir el síndrome de la fama sin importar qué edad tengan sus hijos. Para decidir si está en peligro de sucumbir, dese puntos si:

- Suele referirse a sus hijos como "los gemelos", "los trillizos", "los cuatrillizos" y así sucesivamente, en lugar de llamarlos por su nombre; añada puntos si más personas han seguido su ejemplo, y añada más puntos si suele llamar así a sus hijos enfrente de esas personas.
- Hace alarde de que le cuesta distinguir cuál es cuál; añada puntos si lo hace enfrente de los niños.
- Al salir con uno solo, suele decirle a las otras personas que su adorado pequeño hace parte de un grupo; añada puntos si el niño puede oírla decir esto.

- Estimula el uso de vestidos iguales, incluyendo vestidos iguales de distintos colores; añada puntos si les cambia el vestido a todos cuando alguno de ellos se ensucia, y añada más puntos si ya están grandecitos y podrían ayudarle a escoger la ropa que les pone.

Un puntaje alto no significa necesariamente que usted ha caído en la seducción del síndrome de la fama, pero sí indica que ha llegado el momento de preguntarse por qué parece estar tratando a sus hijos como una unidad. ¿Esto los beneficia a ellos o a usted?

Resolver los problemas individuales

Cuando los padres ya conocen bien a sus hijos es imposible que no los traten como individuos. Las preocupaciones más comunes, como de qué manera vestirlos y cuándo separarlos, dejan de tener importancia. Estas decisiones se basan ahora en las necesidades de cada uno y no en "el grupo" visto como una unidad.

La tentación de disfrutar la fama así, como el deseo de dedicarles la misma cantidad de tiempo y atención a todos, desaparecen a medida que crecen. Cuando un padre se concentra en la relación con cada uno de sus gemelos, trillizos o cuatrillizos, la palabra en sí (gemelo, trillizo o cuatrillizo) se convierte en una definición muy pobre de lo que cada niño es. Al mismo tiempo, ellos empiezan a desarrollar la relación entre hermanos, y los padres empiezan a ver lo especial que es esto para el desarrollo de cada uno.

25 Cómo ven a sus bebés las otras personas

Los padres marcan la pauta de cómo ven las otras personas (los parientes, los amigos) a sus gemelos, trillizos o cuatrillizos. Si se les estimula a verlos como individuos y no como una unidad, lo más probable es que así lo hagan. Hay quienes necesitarán un empujoncito, pero con un poco de ayuda los padres pueden contar con la colaboración de todos.

Si usted se refiere a sus bebés como "los gemelos", "los trillizos", "los cuatrillizos", los demás también lo harán. Llame a cada uno de sus hijos por su nombre, y pídales a los demás que hagan lo mismo. Si a alguno se le olvida, vuelva a pedírselo; puede decirle algo como: "Nosotros preferimos llamarlos Mario, Sara y Andrés, pues son distintas personas". Recuérdeselo a los que persisten en resistirse, pero evite darles sermones largos e irritantes de por qué esto es importante.

Las fiestas y los regalos

En los cumpleaños y las fiestas, es probable que los padres tengan que pedirles a los parientes y los amigos cercanos que traigan tarjetas y regalos por separado. Explíqueles por qué darles un solo regalo a todos hace que los niños se sientan como una unidad. Cuénteles que ellos prefieren recibir cada uno un regalo poco costoso, a no ser que se trate de algo realmente grande, fácil de compartir y de usar al mismo tiempo y que todos quieran tener.

Cuando llegan los cumpleaños, los padres hacen una fiesta para cada uno o una gran fiesta para todos. En el segundo caso, si no les piden a los padres de los invitados que manden un solo regalo, algunos mandarán regalos para todos y otros sólo para uno, y si alguno recibe menos regalos puede sentirse herido.

Los padres, la gran celebridad

Al dar a luz a más de un bebé, los padres se vuelven famosos. Por lo general, los extraños sienten que pueden invadir la privacidad familiar y tienden a hablar de los bebés en tercera persona, incluso frente a ellos. Otros se las dan de que son muy amigos de la familia y hacen preguntas incómodas y hasta comentarios ridículos y ofensivos.

Muchos padres perdonan estas ofensas, pues son parte de la naturaleza humana, pero no hace daño estar preparado para manejar las situaciones y los comentarios que invaden su privacidad. Cuantos más bebés haya dado a luz, más curiosidad se generará entre el público. Pero su responsabilidad principal es cuidar a sus bebés; usted no le "debe" nada al público.

- Es probable que le incomoden los comentarios positivos *y* negativos, tales como "doble problema", que demeritan su situación al reducir una experiencia compleja e intensa a algo trivial. Usted puede responder con la frase opuesta, ya sea positiva o negativa, sin prestar atención a los sentimientos en ese momento, o simplemente no decir nada.
- Con seguridad le harán preguntas sobre su fertilidad y sobre cómo fueron concebidos los bebés, pero usted puede responder con otra pregunta: "¿Por qué lo

preguntas?" o "¿No te parece que eso es algo personal?".

- Algunas personas creen que si le hacen un cumplido a uno de los bebés no importa ofender a otro. Cuando alguien diga: "Qué ojos azules tan lindos tiene la niña, ¿por qué los del niño son cafés?", usted puede decir: "A nosotros también nos gustan los ojos cafés".

- Es muy probable que tenga que lidiar con las etiquetas preconcebidas, tales como: un bebé es "bueno", el otro es "malo", uno es "malgeniado" y el otro es "feliz".

- A veces la gente puede ser tremendamente insensible ante un bebé discapacitado. Si alguno de los bebés tiene una discapacidad, usted no tiene que responder a los comentarios groseros; simplemente lance una mirada de desagrado y siga adelante.

- Al dar a luz a más de un bebé, mucha gente presupone que su familia ya está completa; sobre todo si tiene un niño y una niña. ¿Qué deben decir los padres cuando alguien comenta: "Fantástico, ¡ya salieron de eso!"? Tener o no tener más hijos es decisión de los padres, y no tienen por qué defenderla ante los demás. Una vez más, responda la pregunta con otra pregunta, por ejemplo: "¿Por qué lo dices?" o responda con un "tal vez" acompañado por una mirada misteriosa.

- De todos modos, esta nueva fama también tiene sus ventajas. Muchas personas toleran que unos gemelos sean increíblemente malgeniados, pero no así cuando se trata de un solo bebé. Si ya son un poco más grandes y les gusta hacer espectáculos, vístalos iguales y acepte la comprensión paciente de los demás.

Los profesores

Cuando ya están más grandes, los gemelos (trillizos, cuatrillizos, etcétera) pasan mucho tiempo fuera de casa y en el colegio, y los profesores suelen influir en la manera como se ven a sí mismos. Por tanto, los profesores deberían contar con la guía de los padres. Reúnase con ellos para hablar de cada uno y, a no ser que la conversación gire en torno a la relación entre los niños, no mencione al otro (o los demás). Esté atento a las señales que indiquen que los profesores los están confundiendo; esto pasa incluso cuando los hermanos están separados. Una madre se reunió con los profesores para comentarles que uno de los gemelos se sentía incompetente y se encontró con que había recibido varios honores durante el año. Cuando pidió que le dijeren de qué premios se trataba, los profesores se dieron cuenta de que era el hermano quien los había recibido (ver apartado 45).

La imagen de sí mismos

Usted sólo puede controlar sus propias opiniones y la manera como trata a sus hijos. Si, a pesar de que ha hecho todo lo posible, los demás insisten en tratarlos como una unidad, esto no debería ser tan grave. La imagen más clara que ellos tienen de sí mismos viene de sus padres, y esa imagen sólida que usted les ayuda a establecer durante la infancia los acompañará siempre.

26 | Los nuevos sentimientos de la madre

Los bebés han llegado, por fin, y es probable que usted se sorprenda al sentirse emocionada y angustiada al mismo tiempo; tal vez lo que está sintiendo entre en conflicto con lo que cree que debería sentir. Muchos factores pueden influir el doble (o más) en la manera como la madre se siente inicialmente ante sus bebés y ante la maternidad. ¿El parto fue demasiado prematuro? ¿El nacimiento de los bebés fue tal como se lo imaginaba o tuvieron que practicarle una cesárea de emergencia u otra intervención inesperada? ¿Las demás personas le han brindado el apoyo que necesita?

Los cambios físicos que se dan en las primeras semanas y los primeros meses después del nacimiento de gemelos, trillizos o más pueden causar estragos en las emociones de la madre. Su nuevo cuerpo, después del parto, no ha vuelto a la "normalidad" y puede parecer que nunca lo hará. La madre ya no es el centro de atención, y aunque la responsabilidad de cuidar a más de un bebé recién nacido puede parecer abrumadora, a muchas madres les da vergüenza pedir ayuda. Algunas se sienten excesivamente posesivas, otras se sienten distantes, y otras oscilan entre estas dos sensaciones.

La recuperación

Recuperarse de un embarazo y un parto múltiples es más demorado que recuperarse del embarazo y el parto de un solo bebé. Incluso el parto múltiple ideal es más estresante físicamente que el parto de un solo bebé; además, el embarazo múltiple suele tener más complicaciones. Un reposo estricto durante el embarazo, los efectos posteriores de determinadas complicaciones, un parto por cesárea y una pérdida excesiva de sangre (o una hemorragia posparto) pueden afectar la salud física y emocional de la madre. Todo esto le puede causar cansancio físico y fatiga y, además, afectar el ánimo. Muchos expertos recomiendan terapia física o programas especiales para ayudar a la madre a recuperar su forma después de muchas semanas de reposo estricto o determinadas complicaciones.

Además de la recuperación física, a muchas madres que dan a luz a más de un bebé les preocupa que su cuerpo no vuelva a su forma y talla "normales" unas semanas después del parto. Los kilos de más, las estrías y un abdomen flojo pueden afectar la imagen corporal; muchas se preguntan si sus esposos las considerarán atractivas. Pero es absurdo pretender recuperar rápidamente la forma y la talla que tenía antes del embarazo, cuando se necesitaron meses para perderlas. Una madre que acaba de tener gemelos, trillizos o más, debe darse varios meses para volver a estar en forma. Hacer ejercicio (como empujar un coche que lleva más de un bebé) y ponerse ropa que camufle los gorditos suele ayudar mientras el cuerpo vuelve lentamente a sus proporciones anteriores.

Después de un embarazo y un parto múltiples, la nueva madre no puede darse el lujo de concentrarse en sí misma y en sus metas personales a medida que se recupera; por el contrario, la recuperación se logra a medida que ella asume el cuidado de su nueva gran familia. Muchas madres tienen expectativas poco realistas acerca de las habilidades de los recién nacidos o de sus propias habilidades para cuidarlos sin necesidad de ayuda, y el resultado es que algunas se angustian de tener que cuidar a la vez a dos o más bebés. Otras sienten que nadie entiende lo que están viviendo y, con el tiempo, se sienten aisladas y alejadas de los demás.

Debido a los cambios físicos y mentales que se dan después de un embarazo y un parto múltiples, el número de madres que sufren de *depresión posparto* y *desórdenes de ansiedad* es mucho mayor. Mientras que cerca de un 10 por ciento de las madres que dan a luz a un solo bebé sufre depresiones posparto, en el caso de las madres de gemelos (trillizos, cuatrillizos, etcétera), más de un 20 a un 25 por ciento sufre depresión posparto en algún momento durante los dos primeros años de vida de sus bebés. Este número no refleja a las madres que sufren ansiedad posparto o desórdenes de reajuste. También se ha identificado un desorden de "estrés postraumático posparto" entre las madres que tuvieron que guardar un reposo estricto o prolongado durante el embarazo.

La depresión posparto y otros desórdenes mentales y emocionales no afectan sólo a las madres; éstos también tienen un efecto profundo en los bebés, en los otros hijos y en el esposo. Por fortuna, estos desórdenes se pueden tratar si la madre no pasa por alto los síntomas y busca la ayuda de un profesional de la salud. Contacte inmediatamente al médico si *suele*:

- Tener poco apetito o no puede parar de comer.
- Tener dificultades para dormir incluso cuando los bebés están dormidos.

- Sentirse "nublada" y no puede concentrarse o tomar decisiones.
- Estar llorosa o no puede controlar sus emociones.
- Sentirse emocionalmente desapegada de sus bebés y los demás.
- Tener sensaciones de pánico y dificultad para respirar, mareo o debilidad y/o escalofríos.
- Preguntarse si está deprimida o muy ansiosa.

La rutina doméstica

La mayoría de los humanos desean tener ciertos patrones en su vida cotidiana. La continuidad proporciona tranquilidad y confort, pero al dar a luz a más de un bebé es necesario desarrollar una rutina completamente nueva. Hasta que no logran establecer esta nueva rutina, los padres se sienten desorientados e inseguros, y esto suele tardar varios meses. No se preocupe si la falta de rutina le produce sentimientos encontrados, y no compare su situación con la de otras familias que acaban de tener un solo bebé.

Muchas madres que acaban de dar a luz experimentan unos altibajos tremendos a medida que aprenden a cuidar a sus bebés y que empiezan a conocerlos. Por lo general, las subidas y bajadas de ánimo dependen de cuánto haya evolucionado la rutina y de qué tan estable sea. En los días en que todo sucede según lo planeado, la madre se sentirá como la mujer más afortunada del mundo al tener a sus bebés; en los días en que nada parece suceder según lo planeado, la madre se sentirá incompetente y fuera de control, y se preguntará por qué precisamente ella tuvo que tener más de un bebé.

Si ya ha alcanzado una rutina, o aún no, con seguridad se sentirá mejor si reserva un poco de tiempo para usted misma todos los días. Lo mejor es emplear este tiempo haciendo algo que disfrute y no algo que crea que debería estar haciendo. Probablemente, por ahora, sólo podrá picar trocitos de tiempo, pero esos trocitos irán aumentando poco a poco.

Los estilos de maternidad

Las madres que acaban de dar a luz suelen estar vulnerables ante los comentarios y las opiniones de los demás acerca de su manera de "ser madres". Pero usted es "única" en su maternidad y cada uno de sus hijos también es único. Usted y sus bebés desarrollarán una relación distinta de cualquier otra relación "madre e hijo". Trate de no tomarse como algo personal los comentarios de sus parientes y amigos, o los de los libros acerca de la crianza. Agradézcales sus opiniones a las personas que se preocupan por usted, pero haga lo que usted considere que es mejor para todos. Preste atención a cada uno de sus hijos en lugar de depender de los comentarios de los demás. Confíe en lo que lee en el comportamiento de sus bebés más que en el consejo generalizado de los libros y adopte sólo las sugerencias que usted crea que "encajarán" en su familia.

No se sorprenda si se siente más cercana a uno de sus bebés que a los otros; hay muchas razones por las cuales las madres experimentan sentimientos desiguales. Si este es su caso, no los niegue, pues la negación afecta el desarrollo de una relación cercana con los demás; acéptelos y trabájelos hasta que haya desarrollado una relación más cercana con cada uno de sus bebés (ver apartado 23).

La realidad de tener que cuidar a varios recién nacidos puede estar acompañada por temores y ansiedades. Sin embargo, la mayoría de las madres también experimentan sorpresas, alegrías y emociones intensas al ver a sus bebés juntos.

La ansiedad y el temor tienden a desvanecerse a medida que la madre gana seguridad respecto a su capacidad para cuidar a sus bebés, pero la sensación de asombro suele permanecer sin importar cuál sea la edad de los hijos.

27 | Los sentimientos del padre

Las encuestas indican que después del impacto y la emoción iniciales al darse cuenta de que están esperando más de un bebé, a los padres les preocupa el aumento en las obligaciones económicas. A medida que el embarazo progresa, es posible que el padre se angustie por la salud de su esposa y la de sus bebés.

La mejor manera de ganar seguridad es involucrarse en el proceso. Acompañe a su esposa a las citas con el obstetra y a las ecografías y plantéele al doctor sus preguntas. Su esposa también está nerviosa y con seguridad agradecerá su apoyo.

El proceso afectivo empieza en cuanto el padre descubre que está esperando gemelos, trillizos o más. Trate de imaginarse a sus bebés, deje que se materialice la idea de que tendrá más de un bebé.

Tanto su esposa como los hijos mayores (si los tiene) necesitan atención, ayuda y apoyo durante el embarazo y después de que hayan nacido los bebés. Su esposa ya no podrá mantener el ritmo que llevaba antes del embarazo; por tanto, ofrézcale hacerse cargo de algunas de sus responsabilidades y preste más atención a los hijos mayores, es importante que no sientan que los está dejando de lado.

A veces, los padres esperan volver a la normalidad poco después de la llegada de los bebés. Y volverán a tener una vida "normal", pero ésta no puede ser igual a la anterior. Su familia ha crecido más de lo acostumbrado, y será distinta. A la larga será mejor, pero toma tiempo adaptarse (ver apartado 31).

Los padres de gemelos, trillizos y más suelen tener que asumir un rol más activo que cuando se tiene un solo bebé. ¡Se necesitan más manos para prodigarles amor y atención a varios bebés! Y la mayoría de los padres ven esto como una experiencia positiva.

"Una de las mejores cosas de tener trillizos, dijo un padre, es saber que ellos también me necesitan *a mí* para que los cuide. Mi esposa podría cuidar a un hijo único por sí sola".

La mayoría de las madres desarrollan un sistema para encargarse de sus bebés, y usted no hará parte de él si pasa poco tiempo en casa. Si esto sucede, involúcrese cada vez que esté disponible, no espere a que su esposa le pida ayuda. Ella no lo está dejando de lado a propósito, simplemente ha aprendido a manejar así la situación y necesita que usted le recuerde que está ahí.

Tener más de un bebé es una oportunidad maravillosa para ampliar su rol de padre. Por ejemplo, los hijos mayores necesitan que usted les demuestre constantemente que son importantes; su necesidad de atención aumenta a media que disminuye el tiempo de la madre para ocuparse de ellos. Y, al mismo tiempo, todos los bebés necesitan la misma cantidad de caricias que un solo bebé. Usted, su padre, puede proporcionar esos brazos adicionales para amar, abrazar, alimentar, bañar y mecer.

Sea usted la persona que ata los cabos sueltos del hogar. Su esposa agradecerá que le ayude con cualquier tarea. Asuma ciertas labores domésticas, como hacer las compras o lavar la ropa. Lo importante es que asuma no sólo la tarea sino la responsabilidad de llevarla a cabo por completo.

Le parecerá que los otros padres que acaban de tener hijos vuelven a la normalidad mucho antes que usted. Ellos se están ajustando a la llegada de un solo bebé, mientras que usted y su familia se están ajustando a la llegada de dos o más. Esta es una situación única y maravillosa, pero anormal. No obstante, quienes viven situaciones "normales" nunca experimentan la emoción de ver crecer a unos gemelos (trillizos, cuatrillizos o más).

28 | Buscar tiempo para la pareja

El nacimiento de varios bebés cambia las dinámicas familiares, y muchas parejas no están preparadas para los cambios que esto produce en su relación. Todos responden al cambio, al estrés, la falta de sueño y las posibles dificultades para alimentar a los pequeños de un modo único y es casi imposible predecir cómo será esta respuesta.

En todas las familias, la dinámica entre el padre y la madre es muy importante; pero en medio de todos los planes para recibir a los bebés es probable que los padres se olviden de su relación como pareja. Quizá piensen que ésta volverá a la "normalidad" milagrosamente unos cuantos días después del parto, pero esta es una expectativa poco realista.

Empezar a conocer y a cuidar a más de un bebé requiere mucho tiempo, y esto puede ser agotador, física y emocionalmente, para los dos. Todos los días pasan tantas cosas, que la relación de la pareja puede perderse en medio del torbellino. Los esposos suelen notar esta pérdida antes que las esposas porque ni su cuerpo ni sus emociones han sido afectados por el embarazo y el parto, y por lo general ellas son las principales encargadas del cuidado de los bebés.

Al evaluar cómo está su relación de pareja, tenga en mente los siguientes consejos que le ayudarán a poner en perspectiva los sentimientos negativos.

- Una madre necesita más tiempo para recuperarse de un embarazo y un parto múltiples, sobre todo cuando tienen que practicarle una cesárea (para los padres: ver apartado 26).

- Una madre que se pasa todo el día cuidando a los bebés y a los niños, incluso si tiene ayuda, suele sentirse "gastada" al estar en contacto físico con por lo menos otro cuerpo humano durante todo o casi todo el tiempo, y es probable que no quiera sentir más contacto o hacer el amor con su esposo al final del día.

- Los impulsos y las necesidades físicas de los hombres no cambian mucho con el nacimiento de los bebés, pues su cuerpo no ha experimentado grandes cambios. Ellos vuelven al trabajo y al poco tiempo suelen haber recuperado una rutina.

- Muchos esposos tienen una necesidad muy intensa de interactuar y hacer el amor con sus esposas tal como lo hacían antes del nacimiento de los bebés; por tanto, los dos deben comprometerse a satisfacer las necesidades físicas y emocionales del otro. Por ejemplo, hacer el amor a las mismas horas y con el mismo abandono de antes es poco realista, pero sí pueden aprovechar mientras los bebés duermen la siesta para tener un breve encuentro romántico.

- Las necesidades físicas y emocionales varían entre las personas y entre las parejas. Por eso no deben compararse entre los dos ni tampoco con otras parejas; hagan lo que necesiten y lo que consideren mejor para ustedes.

La comunicación es la clave de un matrimonio feliz después del nacimiento de más de un bebé. Por eso, los dos deben comunicarle al otro cuáles son sus necesidades. No pretenda que el otro "sepa" lo que usted necesita. Puesto que su tiempo será limitado, sea creativo para mostrarle al otro que sigue siendo importante. Otras parejas han puesto en práctica las siguientes sugerencias:

- Díganse "te amo" con frecuencia. Esto no quita energía y puede ser dicho en cualquier momento.
- Hagan algo especial por el otro una vez al día. Una mujer despertaba a su esposo todas las mañanas y le llevaba el café y el periódico. Sin importar lo que pasara durante el resto del día, él se sentía amado. Entonces decidió encargarse de lavar los pañales. Esto puede sonar poco romántico, pero para ella el hecho de que él asumiera esa tarea tan desagradecida era una plena afirmación de su amor.
- No supongan nada; digan lo que quieren decir sin amenazas. Comuníquenle a su pareja cómo se sienten. Es probable que los dos estén muy cansados o muy ocupados como para confiar en las formas de comunicación no verbales.
- Salgan juntos a caminar, o coman a la luz de las velas, incluso si cada uno tiene en brazos a un bebé.
- Pónganse citas y esperen con emoción ese tiempo que van a pasar juntos.
- Dense tiempo para cada uno. Organícense para que uno se levante por las noches para encargarse de los bebés, de manera que el otro pueda dormir más tiempo. Las madres agradecen especialmente este tipo de consideraciones.
- Sean creativos al hacer el amor. Olvídense de las nociones antiguas acerca del momento adecuado. Unos

padres agotados rara vez tienen ánimos por la noche. Hagan una cita temprano en la mañana, o contraten a una niñera para que salga a pasear con los niños.

Los padres que acaban de tener varios hijos suelen preguntarse si hay vida después del parto. Al principio los bebés parecen consumir todo su tiempo y energía, pero por supuesto que sí hay vida, y ésta puede ser incluso más especial si son considerados el uno con el otro.

29 | Los hermanos mayores

Trate de ver la vida en la familia con los gemelos (trillizos, cuatrillizos o más) recién nacidos a través de los ojos de un hermano mayor. No sólo uno, sino dos o más bebés han venido a desplazarlo del centro de las atenciones de su madre y de su padre. Los parientes y amigos que vienen de visita y se apresuran para ver a los bebés suelen hacer caso omiso del hermano mayor. En la calle, los extraños lo apartan a un lado para comerse con los ojos a los pequeños que van en el coche. La gente solía decirle a *él* lo lindo que era, ahora le dicen que es muy afortunado de tener tantos hermanos.

Pero él no se siente afortunado. Los bebés lloran mucho. Su madre siempre está cansada y justo cuando él logra captar su atención, alguno de los bebés necesita que lo cambien o que le den comida. En lugar de leerle un cuento al llegar del trabajo, su padre se ocupa de los bebés para que la madre pueda poner la mesa. De repente, "espera un momento" se convierte en la respuesta favorita de sus padres.

Los padres deben y necesitan cuidar a todos sus hijos, no sólo a los gemelos (trillizos, cuatrillizos, etcétera). Volver a casa con más de un bebé no cambia las necesidades de los hijos mayores. Por fortuna, hay maneras para demostrarles que son importantes en la familia. Estas sugerencias pueden serle útiles:

- Reconozca los sentimientos negativos del niño mayor; comuníquele que usted entiende sus frustraciones.

- Háblele de cuando él era un bebé; cuéntele que pasaba mucho tiempo cuidándolo y muéstrele fotos de ese entonces.

- Pocas veces se extiende a los hermanos mayores el tratamiento especial que se les da a los recién nacidos; explíqueles que los gemelos (trillizos, cuatrillizos, etcétera) no son más especiales sino que simplemente necesitan más tiempo y atención.

- Pase un tiempo sin interrupciones con cada uno de los niños mayores todos los días; quizá pueda organizarse durante la siesta de los bebés o contratar a una niñera para que los lleve a pasear un rato.

- Las *regresiones* (actuar como si fueran más pequeños, por ejemplo, al orinarse en los calzones u "olvidar" una habilidad determinada) pueden ser una reacción natural de los niños frente a un cambio drástico en la rutina. No le dé demasiada importancia, pero ponga énfasis en los beneficios de ser un niño "grande".

- Quizá no pueda controlar a los extraños, pero sí puede dirigir la atención de los parientes y los amigos hacia los niños mayores.

- Al salir con los recién nacidos y el hermano mayor trate de no llamar la atención. Cuantos más niños tenga más difícil será, pero intente llevar al hermanito mayor en el coche con los bebés mientras lleva a uno de los recién nacidos en un cargador. Esto hace que el niño mayor se sienta especial y es posible que los extraños se acerquen menos.

- Ayude a los niños a disfrutar su posición dentro de la familia como hermanos mayores. Los padres suelen tener más tiempo para hacer cosas divertidas con los niños más grandes.
- Mencione, ocasionalmente, cuánto le agrada el tiempo que pasa con cada uno de los niños; también puede comentar lo bueno que es poder hacer ciertas cosas porque ellos son mayores.
- Tenga expectativas realistas en cuanto a sus hijos mayores. A veces se sentirá tan desesperada que verá incluso al menor de los hermanos mayores como un posible ayudante. El interés de los niños mayores en ayudar a los bebés varía; a algunos les fascina mientras que a otros no les interesa. Además, los niños se desconcentran más rápido.
- Estimule el desarrollo de una relación positiva entre los hermanos mayores y los recién nacidos que han desordenado la vida de la familia. No "culpe" al nacimiento de los gemelos por todo lo que ya no puede hacer. Si antes solía ir a nadar todos los días y ahora sólo puede ir una vez por semana, no les recuerde a los otros hijos que los bebés son la causa de que eso suceda.
- Comuníqueles a los niños mayores, incluso si apenas están aprendiendo a caminar, que a ratos se siente abrumada con todo lo que tiene que hacer. A ellos les agrada saber cómo se siente y saber que usted también es un ser humano.
- Cuando los bebés empiezan a caminar, los hermanos mayores experimentan nuevas frustraciones. Los gemelos irrumpen en la vida de los hermanos mayores en cuanto pueden moverse, pues los pequeños

caminadores, por naturaleza, están por todos lados. Y los niños mayores, por naturaleza, no prestan sus cosas. Deles a los más grandes su espacio propio e instale puertas movedizas en la entrada de las habitaciones para que puedan tener a salvo sus cosas.

Cada uno de sus hijos reaccionará de un modo distinto ante el nacimiento de los gemelos. Algunos niños parecen disfrutar del brillo de la nueva familia al principio, pero después expresan resentimiento. Los padres deben estar alerta ante los posibles sentimientos negativos y deben estar preparados para manejarlos como parte del proceso natural de crecimiento.

Los hermanos suelen distinguir a los gemelos (trillizos, cuatrillizos, etcétera) antes que sus padres y tienden a preferir primero a uno, pero a medida que los bebés crecen la mayoría de los hermanos mayores desarrollan una relación con cada uno de los pequeños por separado.

Si un hermano mayor parece estar encariñándose más con uno de los bebés, estimule la relación con el otro (o los otros). Pídale que juegue con el otro mientras usted se ocupa del "favorito". Haga pequeñas excursiones con el mayor y alguno de los bebés y muéstrele que ese bebé le sonríe de una manera especial.

La experiencia del crecimiento

La vida de los hermanos mayores cambia sustancialmente con el nacimiento de los gemelos (trillizos, cuatrillizos, etcétera), pero a medida que aprenden a hacer las cosas por sí mismos ganan seguridad. Cada hijo ocupa un lugar especial dentro de la unidad familiar, y es responsabilidad de los padres reafirmar la importancia de la posición de cada uno.

30 | Crear una red de apoyo

Compartir sus experiencias y sentimientos con otra persona que está pasando o ya ha pasado por los primeros años con gemelos (trillizos, cuatrillizos, etcétera) puede ser de gran ayuda. Las familias múltiples son únicas; sus miembros experimentan alegrías particulares y preocupaciones que tienen que ver únicamente con el hecho de tener a varios hijos al mismo tiempo.

Las madres que acaban de dar a luz tienen una vulnerabilidad especial a sentirse solas y aisladas. Por lo general, ellas se ocupan de la mayor parte del cuidado de los niños y se espera que mantengan la sensación de bienestar emocional dentro de la familia. Hoy en día, las madres suelen tener también proyectos por fuera de la casa, y es muy difícil cumplir con todos estos roles sintiéndose aisladas.

En cuanto a los padres, se espera que su participación sea mayor. Los padres suelen ayudar a los hijos mayores a manejar la llegada de dos o más hermanitos. Las necesidades del esposo/padre suelen quedar en un segundo plano para dar prioridad a las de los recién nacidos, los hermanos mayores y la madre en proceso de recuperación.

El cuidado permanente que requieren dos o más recién nacidos puede hacer que los hermanos mayores se sientan desplazados. Ellos deben sobrellevar la pérdida de la atención y el tiempo que antes se les prodigaba. Si un embarazo con complicaciones afecta la habilidad de la madre para cuidar al hijo mayor, la llegada de varios hermanitos no ayudará a mejorar la situación.

Crear una red

Las redes de apoyo no surgen por arte de magia. Los padres deben crear su propia red de apoyo buscando a otros padres o grupos ya consolidados que se reúnen en persona o a través de internet. La mayoría de los padres prefieren hablar con otros padres que tengan el mismo número de hijos; así como los padres de un solo hijo no pueden entender completamente lo que es la llegada de unos gemelos a la familia, los padres de gemelos no pueden comprender del todo la complejidad adicional de tener trillizos. Los padres de cuatrillizos enfrentan situaciones distintas a las de los padres de trillizos.

Un padre que acaba de tener gemelos agradecerá oír a otros padres hablar del efecto que la llegada de los gemelos ha tenido en su matrimonio y su familia. Comentar con otros padres el impacto del nacimiento de varios hijos puede calmar las tensiones y ayudarle a no perder el norte.

Los hijos mayores también se benefician de la comprensión y la camaradería que les brinda la red de apoyo. Dependiendo de las edades y los temperamentos, los niños pueden compartir sus orgullos y frustraciones ante la irrupción de los hermanitos en su vida. A veces los hijos mayores de diferentes familias se "adoptan" el uno al otro y conforman su propio grupo de hermanos "múltiples".

Las reuniones de padres suelen propiciar nuevas amistades. Casi siempre hay otro padre que tiene gemelos (trillizos, etcétera) de la misma edad y el mismo sexo o que comparte las mismas ideas sobre la crianza. La mayoría de los grupos se reúnen todos los meses e invitan a diversos conferencistas. Muchos grupos hacen ventas de ropa y de equipos, planean reuniones para todas las familias y celebran juntos las fiestas.

Tener un amigo para hablar por teléfono es maravilloso. Si no tiene acceso a un grupo de apoyo o si el cuidado de sus bebés le dificulta salir de casa, también puede buscar en internet. Hoy en día hay muchísimos grupos de discusión en línea, algunos son patrocinados por las grandes organizaciones para padres de gemelos, trillizos y más.

Los obstetras, los pediatras y los profesionales de la salud en general también son una buena fuente de contactos. Pregúnteles si conocen a otros padres a los que les agradaría recibir su llamada. También es posible que sus parientes y amigos conozcan a otros padres. ¡Todo el mundo conoce a alguien que también tiene gemelos!

Los gemelos, en sí, son unos fantásticos "rompe hielo". Dos madres se hicieron mejores amigas después de presentarse a sí mismas en un centro comercial mientras cada una empujaba un coche doble. Una madre tocó a la puerta de unos extraños después de ver a unos gemelos jugando en el patio trasero; se hicieron amigas inmediatamente y su amistad ya tiene más de veinte años.

Otros sistemas de apoyo

Apoyo para amamantar

Si usted planea amamantar, o está amamantando en este momento, póngase en contacto con un grupo de apoyo de la Liga de la Leche. Puede contactarse con la oficina internacional por teléfono o a través de la página web; a través de ellos podrá contactar también otros grupos de apoyo.

Las madres de gemelos, trillizos, cuatrillizos, o más, suelen necesitar más apoyo y servicios de una experta en lactancia. Hoy en día, muchos hospitales ofrecen este servicio durante la estadía de los pacientes en el hospital o al salir del mismo. Pregunte en el hospital donde planea dar a luz si podrá contar con una experta en lactancia.

Apoyo físico/doméstico

Hay dos tipos de *doulas* o parteras. Algunas proporcionan apoyo durante el parto y el alumbramiento; otras se especializan en asistencia posparto y ayudan a las madres, a los bebés y a las familias después de salir del hospital. Ellas pueden proporcionar ciertos servicios en el hogar durante un periodo determinado y muchas están entrenadas para apoyar durante la lactancia; algunas se "especializan" incluso en el apoyo a las familias que acaban de tener más de un bebé.

Otras opciones para el cuidado de los bebés o ayuda en el trabajo doméstico son las niñeras y los servicios para la limpieza del hogar.

Apoyo para la salud mental

La llegada de varios bebés a una familia tiene un impacto muy fuerte en la vida de cada uno de sus miembros, y habrá momentos en los que no será suficiente hablar con otras familias que estén en la misma situación. A veces, la familia necesita un consejero o un psicoterapeuta para hablar del efecto ocasionado por la llegada de los bebés y desarrollar nuevos mecanismos para sobrellevarlo. Esto puede ser especialmente cierto cuando:

- La madre sufre una depresión posparto o algún otro desorden posparto.

- Algún miembro de la familia demuestra un cambio en el comportamiento que indique dificultades para adaptarse.
- El padre o la madre creen que la relación de pareja está en peligro.
- Otros acontecimientos o situaciones estresantes están perjudicando a la familia.

Cuando algún miembro de la familia piensa que se necesita ayuda profesional, lo más probable es que así sea.

Cuando las familias tienen más bebés, necesitan más apoyo, tanto físico como emocional. Y si los padres están dispuestos a buscarlo, ¡hay un mundo de sistemas de apoyo esperando para ayudarlos!

31 | Un período de ajuste en la rutina

Durante el embarazo, los padres tienden a idealizar la vida cuando hayan nacido los bebés. Se imaginan a unos bebés que comen en horarios predecibles, sincronizados y convenientes que les permiten varias horas de sueño ininterrumpido. En esta imagen idealizada, los bebés lloran poco, se tranquilizan fácilmente y es fácil cargar a dos o más al tiempo.

Además, la madre se recupera rápidamente de los cambios físicos que implican el embarazo y el parto. Nunca sufre de fatiga. Esta mujer descansada tiene toda la paciencia del mundo para cuidar amorosamente a sus bebés recién nacidos y al resto de la familia. Al poco tiempo ya ha logrado organizarse para cumplir con las tareas del hogar, volver a sus proyectos laborales y *caber* en la ropa que utilizaba antes del embarazo.

En estas fantasías, el esposo siempre está ahí para ayudar. Siempre sabe qué hay que hacer sin necesidad de preguntar y está siempre igual de dispuesto a lavar todos los pañales y a jugar con varios bebés al tiempo.

La familia de estas fantasías es perfecta. Pero las familias de verdad, las que tienen que adaptarse a dos, tres, cuatro o más bebés recién nacidos, no lo son. Este apartado se centra en las expectativas realistas que se deben tener durante el período de reajuste tras la llegada de los bebés.

Volver a la normalidad

Muchos padres dicen que no ven la hora de "volver a la normalidad", ya sea que estén esperando varios bebés o uno solo. Como creen que el cambio será mínimo, esperan que los recién nacidos encajen rápidamente en la rutina diaria y predecible que tenían antes del embarazo. Es natural que los padres de gemelos, trillizos, o más, deseen tener un rutina "aburrida" pero predecible después de un embarazo y un parto que son muy exigentes físicamente, en el mejor de los casos, y en el peor, cargados de complicaciones e intervenciones médicas. De todos modos, es poco realista creer que esto será así.

Los primeros meses de vida de los bebés suelen estar más marcados por el trastorno en la rutina que por su restauración. Inevitablemente, acoplar a varios recién nacidos en la vida familiar sólo puede contribuir con el trastorno; y cuando este trastorno es inesperado los padres se sentirán confundidos y frustrados ante la pérdida del control sobre los sucesos cotidianos.

A diferencia del cuerpo de las fantasías prenatales, el verdadero cuerpo de una madre que acaba de dar a luz se siente cansado, débil y adolorido durante varias semanas después del nacimiento de los bebés. ¡El cuerpo posparto ha pasado por muchas cosas en muy poco tiempo!

Los bebés también han vivido mucho en muy poco tiempo, especialmente si fueron prematuros o sufrieron alguna complicación. Sin embargo, todos los recién nacidos experimentan unos cambios físicos asombrosos y cada uno tiene una manera única de responder a la vida por fuera del útero. Los padres deben aprender a reconocer los distintos modos en que sus bebés recién nacidos empiezan a adaptarse a la vida.

Los bebés reales no han leído libros acerca de los horarios de sueño y vigilia. Ellos no pueden entender que a los padres, y sobre todo a la madre que acaba de dar a luz, les vendría bien dormir un poco más. Los bebés reales son unos humanos increíblemente inmaduros que dependen totalmente de los demás. Entonces, ¿acaso es algo sorprendente que los padres se sientan abrumados al intentar comprender y satisfacer las necesidades de dos o más bebés recién nacidos y, a la vez, tratar de satisfacer sus propias necesidades físicas y emocionales además de las de los otros miembros de la familia?

Por fortuna, ¡el caos posparto es temporal! Aunque los nuevos padres nunca pueden recuperar la rutina que tenían antes del embarazo, desarrollarán una rutina "nueva y normal". Pero tomará tiempo. Descubrir esta rutina nueva y normal requiere un compromiso mayor por parte de los padres, puesto que ellos son adultos maduros con una experiencia vital de dos o más décadas.

Cosas que influyen en la rutina

El estilo de comportamiento inherente a cada uno de los bebés y los intentos de los padres para distinguirlos pueden afectar la percepción que los nuevos padres tienen ante el desarrollo de una rutina. Al estar embebidos en el cuidado permanente de varios bebés, es posible que los padres no se den cuenta de que sí están desarrollando una rutina, o tal vez se sientan obligados a imponer una rutina más rígida. Por lo general, alrededor de los tres meses ya se ha establecido una rutina bastante predecible, ya sea que los padres se hayan esforzado por crearla o que vivan cada día a su ritmo.

Puesto que a muchos padres les preocupa volverse dependientes de las personas que les ayudan con las labores domésticas, esto suele intensificar su deseo de establecer un horario. Después de un parto múltiple, y sobre todo al tener más de dos bebés, es muy común tener que contratar ayuda física para atender a los bebés y las tareas del hogar durante períodos prolongados. Sin embargo, muchos padres comentan que les cuesta acostumbrarse a tener más gente en casa. En este caso, los padres suelen sentirse agradecidos por la ayuda y, a la vez, incómodos por la pérdida de la privacidad. También es probable que lamenten haber perdido la privacidad de cuidar solos a sus propios hijos y, a la vez, reconozcan que gracias a la ayuda de esas manos "extra" las necesidades de los bebés son satisfechas cuanto antes. Si establecer un horario es visto como la posibilidad de no tener que depender tanto de la ayuda de otras personas, no es extraño que algunos padres parezcan dispuestos a hacer todo lo posible por crear uno.

El *balance* y la *flexibilidad* son los componentes fundamentales de cualquier horario que incluya niños pequeños. Si es demasiado rígido, ajustarse a ese horario puede volverse más importante que conectarse emocionalmente con los pequeños seres humanos que están a nuestro cargo; pero si es demasiado laxo puede intensificar la sensación de agobio que experimentan los padres. Los bebés no son unas máquinas, y cada uno necesita contacto a su manera. Cada bebé necesitará conectarse con alguno de sus padres en momentos que no "encajan" en el horario ideal, y es inevitable que la cantidad de esos momentos "no planeados" se multiplique cuando hay varios recién nacidos.

Comparaciones injustas

Los padres de gemelos, trillizos, cuatrillizos, o más, suelen comparar su familia posparto con otra que hace poco tuvo un solo bebé. Esa otra familia parecerá haber atado cabos y establecido una rutina en poco tiempo, mientras que los nuevos padres de varios recién nacidos siguen sumergidos en la confusión. Puede ser difícil evitar la tentación de compararse a sí misma o a su familia con otros. Por alguna razón, es fácil olvidar que los padres de gemelos, trillizos, cuatrillizos, o más, tienen por lo menos el doble de individuos únicos por conocer e integrar en su familia y en su estilo de vida.

Se necesita tiempo para desprenderse de una "vieja" rutina y de las fantasías prenatales. Dese a usted misma, a su esposo y a sus hijos el tiempo necesario para encontrar un nuevo esquema para la vida cotidiana. Con el tiempo, la nueva "vida normal" de su familia superará las expectativas de cualquier fantasía. Esas distintas personitas a las que ha dado a luz son siempre mucho más interesantes que los niños que puede haber imaginado en sus fantasías prenatales.

32 El manejo del hogar

La clave de un horario exitoso está en *dar prioridad a las tareas*, y los recién nacidos deben ser la prioridad número uno. No posponga nunca nada que tenga que ver con los bebés; ellos tienen necesidades que deben ser satisfechas, y éstas no cambian por el hecho de ser dos, tres o más. Cualquiera que sea el sistema de organización que esté buscando establecer, éste debe responder a las necesidades de los pequeños y, a la vez, a las necesidades básicas de la familia.

Los aspectos fundamentales para la mayoría de los padres son: alimentar a los bebés y al resto de la familia, satisfacer las necesidades de sueño, lavar la ropa y cumplir con los oficios domésticos. El lema debería ser "No complicarse", así "compra" tiempo adicional para estar con sus bebés.

Deje en pausa esa imagen de la familia inmaculada y perfecta. Criar gemelos, trillizos, o más, incluso los más tranquilos y fáciles, implica un compromiso muy grande. Nada puede reemplazar el tiempo que usted pase con sus hijos. Haga concesiones en otros aspectos de la vida, pero no con los bebés.

Lavar la ropa

Las siguientes ideas le pueden ayudar con esta tarea:

- Si lava los pañales, no los doble. Guárdelos directamente en canastos cuando estén secos. El uso de pa-

ñales desechables o de un servicio de pañales a domicilio le ahorrará aun más tiempo.

- Puede lavar las cosas de los bebés (salvo los pañales)
  con la ropa del resto de la familia, a no ser que alguno de los bebés tenga una piel delicada.
- Olvídese de la plancha; utilice ropa que no se arru-
  gue.
- Haga que cada miembro de la familia guarde su ropa;
  los niños en edad de preescolar pueden hacerlo si usted se la deja en pequeñas canastas.
- En las cunas, ponga almohadillas de franela en la zona
  de la cabeza y de los pañales para no tener que cambiar siempre la sábana.

La rutina doméstica

Las siguientes sugerencias también le ayudarán a organizarse:

- Busque a alguien que le ayude con las labores domésticas; tal vez su esposo puede colaborar, o contrate a alguien que trabaje medio tiempo o tiempo completo (ver apartado 30).
- Si vive en una casa de varios pisos, tenga ropa de los
  bebés y pañales en cada piso.
- Bañe a los bebés con menos frecuencia; lo más importante es mantener limpias la zona de los pañales y
  la cara.
- Deshágase de todos los adornos, así no tiene que lim-
  piarles el polvo y tampoco tendrá que preocupase porque los bebés los cojan cuando estén más grandes.
- Ponga una caja o un canasto en cada habitación para
  echar los juguetes, así es más fácil recoger e incluso
  los bebés que ya caminan pueden ayudar.

- Utilice el microondas para preparar las comidas de la forma más práctica.
- Utilice ingredientes congelados y precortados; hay tiendas que venden verduras precortadas para cocinar y ensaladas listas para servir.
- Cocine el doble de comida y congélela para calentarla después.
- Al pedir comida a domicilio, pida sopas saludables y ensaladas en lugar de comidas rápidas altas en grasa.
- Haga sus compras a través de internet. Tal vez tenga que pagar un poco más por unos artículos, pero ahorrará en otros pues no caerá en la compulsión de las compras; además podrá comprar en horas extrañas; por ejemplo después de alimentar a los bebés a las dos de la mañana.
- Utilice los servicios a domicilio disponibles en su barrio; las farmacias que tienen servicio a domicilio suelen vender cosas distintas a los remedios.
- Hay artículos no-esenciales que pueden ser muy útiles, como los contestadores automáticos, los teléfonos inalámbricos y ciertos electrodomésticos para la cocina.
- Aproveche el internet para mantenerse en contacto con su familia y con otros padres.
- *Acepte todo tipo de ayudas.* Los amigos y los parientes pueden ayudarle con las compras, traerles comida, doblar la ropa, aspirar las alfombras o lavar los platos. Cuando le pregunten cómo pueden ayudar, sea específica.

33 | Cómo lidiar con el llanto

El llanto es una forma importante de comunicación para los bebés, pero interpretar el llanto de dos o más puede ser abrumador. Es probable que los padres sientan que no dan abasto al tener que atender a dos o más bebés que lloran al mismo tiempo, y si se turnan, parece que cada instante del día está poblado por el llanto. Cuando uno de los bebés llora más que el otro (o los otros), algunos padres se sienten culpables de tener que dedicarle más tiempo y atención a ese bebé.

¿Por qué lloran los bebés?

Los recién nacidos tienen una sola forma de comunicación no verbal: el llanto, diseñado por la naturaleza para llamar la atención de los padres. El llanto indica hambre, cansancio, exceso de estimulación e incomodidad, entre otros. El llanto de algunos bebés está relacionado con el temperamento y una extrema sensibilidad. Algunas personas creen que los bebés lloran cuando los padres están tensos, ¡pero lo más común es que el llanto de los bebés tensione a los padres!

La mayoría de los bebés tienen un llanto para las diversas situaciones. El llanto de "tengo hambre" es distinto al llanto de irritación "porque estoy mojado", al de "estoy muy cansado" y al de "me duele". Algunos llantos, y algunos bebés, son más fáciles de "interpretar" que otros. El llanto crónico de un bebé inquieto que necesita más atención puede ser difícil de traducir.

Los bebés no pueden comunicar fácilmente el dolor o la incomodidad. Un problema de salud puede ser la causa del llanto, pero ésta no siempre es obvia. No es fácil lidiar con un bebé que suele estar incómodo, pero es aun más difícil cuando nadie logra descubrir la causa de esa incomodidad. Los padres y los pediatras deben investigar a fondo las posibles causas físicas de un llanto permanente.

Hay muchas sustancias en el ambiente que parecen contribuir con el llanto y la irritabilidad de algunos bebés. Cualquiera puede ser sensible a alguno de los ingredientes de la leche de fórmula (la proteína por ejemplo, ya sea láctea o de soya), o a una sustancia que pase del sistema de la madre a la leche, aunque esto es menos común, a no ser que en alguna de las dos familias haya tendencia a las alergias. A algunos bebés les molestan las vitaminas suplementarias o las gotas de hierro (en todo caso, hable con el pediatra antes de cambiar la dieta del bebé). Otras sustancias irritantes pueden ser el humo del cigarrillo, los polvos, aerosoles y atomizadores para la limpieza y los aditivos de los detergentes.

Cómo manejar los intentos de llanto

Hay muchas formas de sobrellevar el llanto sinfónico, y en cada familia funcionarán distintas técnicas:

- Recuérdese a sí misma la fortuna de tener gemelos (trillizos o más). Cuando salga a pasear con los bebés, disfrute los cumplidos que le hacen los extraños por esa hazaña tan maravillosa de haber dado a luz y criar a dos o más bebés al tiempo. Saboréelos, incluso en los días en que parece imposible creerlos.

- Si los bebés tienden a irritarse y llorar en horas predecibles, invite a otras personas a que le ayuden a calmarlos.
- Utilice los equipos diseñados especialmente para apaciguar el llanto, como los columpios para bebés que los mecen mecánicamente, o los rebotadores que se mecen con el movimiento del bebé. Salga a pasear con ellos y deje que el movimiento del coche y el aire fresco los tranquilice.
- Un exceso de estimulación puede prolongar e intensificar el llanto. Si éste parece ser el problema, después de descartar otras posibilidades, acueste en la cuna al bebé que llora para ver si se calma después de cinco o diez minutos; la intensidad del llanto debería disminuir en ese lapso, si, por el contrario, el llanto aumenta o el bebé sigue llorando, intente algo más. *Si el bebé sigue llorando, no lo deje solo.*
- Los "ruidos blancos", es decir sonidos rítmicos y estáticos, como el que hacen las aspiradoras o la radio sintonizada entre dos frecuencias, ayudan a calmar a algunos bebés. Otros se tranquilizan al oír los sonidos familiares del vientre materno. Hay tiendas que venden dispositivos que producen ruidos blancos o sonidos uterinos.

Los bebés inquietos y que necesitan una atención permanente suelen responder mejor al contacto corporal:

- Busque una silla mecedora cómoda en la que pueda sentarse con dos bebés al tiempo. Mecerse con los bebés puede calmarlos a todos: ¡a una madre tensa y a los bebés! Guarde en el auto una silla mecedora plegable para llevarla adonde los amigos y parientes que no tengan una en su casa.

- Los cargadores y los columpios permiten a los padres estar cerca y, al mismo tiempo, tener libre una mano o las dos.
  - Hay cargadores dobles y triples.
  - Algunos padres utilizan dos cargadores individuales: llevan a uno por delante y al otro por detrás, o los cruzan a los dos por delante.
  - Hay columpios en los que caben dos bebés en uno.
  - La habilidad para llevar simultáneamente a dos o tres bebés en cargadores o en columpios depende del cuerpo del padre y del peso y la movilidad de los bebés.
  - Con frecuencia, un bebé "necesita" ir solo en un cargador.
- No es seguro caminar con más de un bebé en brazos, pues no se puede amortiguar la caída. Sin embargo, mientras caminan, muchos padres se dan cuenta de repente de que llevan un bebé en cada brazo. Si esto sucede, el adulto debe hacerse consciente de los peligros hasta que pueda bajar a alguno. *Nunca permita que las personas que le ayudan carguen a dos bebés al mismo tiempo.*

Los bebés que lloran son bebés buenos

La gente les suele preguntar a los padres si sus bebés son "buenos", y la mayoría presupone que "bueno" quiere decir bebés tranquilos y fáciles de calmar, que duermen muchas horas seguidas (de noche, por supuesto). Esto puede hacer que los padres piensen que el bebé inquieto e intranquilo que se despierta cada dos o tres horas es "malo".

Todos los bebés son "buenos". Los bebés intranquilos que lloran mucho sólo necesitan más tiempo y un esfuerzo mayor de sus padres para distinguir cuál es la causa de su llanto. Pero no lo hacen porque sí. El llanto no es una señal de que los bebés estén manipulando a los padres, pues la manipulación implica una acción destinada para un propósito y los bebés no tienen esta capacidad. Señalar que se necesita comida, comodidad y contacto humano no es manipulación.

Los sentimientos de los padres

Es común tener sentimientos encontrados cuando alguno de los bebés es especialmente intranquilo. Por supuesto que sería más fácil que todos fueran calmados, pero tener sentimientos encontrados no quiere decir que los padres desearían "devolver" alguno de los bebés si pudieran.

- Por lo general, entre los gemelos (trillizos, cuatrillizos, etcétera) hay bebés tranquilos y bebés intranquilos. Cuando dos o más son intranquilos, alguno suele serlo más que el otro (o los otros), y los padres, por lo general, se debaten cuando deben dedicarle más tiempo y atención a uno. Pero no deben preocuparse por responder a las necesidades individuales de cada bebé. Los más tranquilos suelen "pedir" atención cuando la necesitan. En cuanto disponga de tiempo libre, dedíqueselo al (o los) más "tranquilo(s)" para evitar la posibilidad de abandono benigno.
- Es natural sentir cierto resentimiento a ratos cuando dos o más bebés son difíciles de calmar. No importa, acéptelo: sería más agradable que no lloraran tanto.

- Los sentimientos negativos son naturales, pero los padres no deben descargarse contra los bebés. Los bebés que lloran mucho se sienten tan frustrados como los padres; si pudieran, ellos les dirían qué necesitan.
- Haga ejercicio, medite o grite contra una almohada para desahogar la tensión. Llore al tiempo con los bebés... ¡esta es una forma de liberar la tensión excelente para los padres y los bebés!
- Aunque al principio los padres pueden sentir resentimiento hacia el bebé más intranquilo, con el tiempo se sienten más cercanos, probablemente porque tienen que interactuar más con él.

34 | El sueño

El sueño es una de las preocupaciones principales de los padres que acaban de dar a luz a varios bebés, y las estrategias que funcionan en familias que tienen un solo bebé no suelen servirles. Aunque algunos bebés duermen toda la noche, éste no es el caso de la mayoría. Por eso es bueno estar preparado para lidiar con este aspecto de criar a más de un bebé.

La fatiga relacionada con los efectos del embarazo y el parto influye en la necesidad de sueño de la nueva madre. Si el parto fue por cesárea, se estará recuperando tanto del parto como de una cirugía, y si no descansa, es posible que fuerce su cuerpo más de la cuenta.

Por desgracia, las necesidades de sueño de los padres no suelen coincidir con las de los bebés. Los recién nacidos no pueden dormir por períodos prolongados sin comer; dormir toda la noche es dormir entre cuatro y cinco horas, y muchos no duermen tanto. Si son prematuros, por lo general hay que despertarlos y alimentarlos con más frecuencia.

Expectativas realistas

Sea realista en sus expectativas. Antes de poder establecer un patrón de sueño, los bebés necesitan adaptarse a su nuevo entorno.

- Los bebés no suelen molestarse entre sí al compartir la cuna, y muchos duermen mejor así. Por esta razón, en las unidades de cuidados intensivos neonatales están implementando esta estrategia.
- Mantenga un registro de los períodos de sueño de cada bebé para reconocer el patrón de cada uno y confirmar que todos están durmiendo lo necesario.

Ensayar distintas opciones

La habilidad de los padres para manejar los ciclos de sueño y vigilia de los recién nacidos depende del temperamento y los ritmos corporales de cada uno. Quizás alguno se adapte a cualquier tipo de cambios que implementen los padres, pero es posible que otro se resista al menor intento por reemplazar el ciclo natural con una rutina artificial. Si piensa modificar la rutina de los bebés, no se desanime tan pronto y dele la oportunidad de funcionar a lo que está ensayando; pueden pasar varios días antes de que note los cambios.

Ensaye diversas opciones hasta encontrar la que se adapta mejor a toda la familia y satisface las necesidades de los bebés. Lo que funciona hoy quizá no funcione mañana. Esté preparado para cambiar, y sea flexible.

Si está alimentado con biberón a sus bebés:

1. Alternen el "turno de noche": uno de los dos se encarga de cuidar a todos los bebés mientras el otro duerme toda la noche.
2. Alguno de los dos puede darles la comida tarde en la noche mientras el otro se acuesta temprano y se encarga de alimentarlos temprano en la mañana; así, los dos pueden dormir entre cuatro y seis horas seguidas.

Si los está amamantando:

1. El padre no puede amamantar, pero sí puede levantarse, cambiar a los bebés, llevárselos a la madre para que los alimente, calmar al bebé que está esperando para ser alimentado y volver a llevarlos a sus cunas.

2. Algunos padres se encargan de una comida nocturna al darles biberón con leche materna o de fórmula para que la madre pueda dormir varias horas seguidas. Esto se puede hacer ocasionalmente o todas las noches. Para evitar obstrucción del pecho y problemas relacionados, la madre no debe saltarse más de una comida.

3. Otra opción es amamantar a uno (o dos) siempre por la noche mientras que el padre le(s) da biberón al otro (o los otros) en las otras comidas. Por lo general, los padres alternan cuáles bebés son amamantados y cuáles reciben biberón.

Asegúrense de que la diferencia entre el día y la noche sea siempre clara: si son horas de dormir, la habitación debe permanecer a oscuras y en silencio; trate de estimular lo menos posible a los bebés al alimentarlos y no encienda el televisor o la radio.

La mayoría de los padres prefieren que sus bebés tengan horarios parecidos. Para lograrlo, una posibilidad es despertar al segundo bebé cuando se despierte el primero (o poco después). Poder despertar a más de dos bebés al mismo tiempo depende de cuántas manos extra puedan ayudarle a alimentarlos.

Es común que los padres de gemelos (trillizos, cuatrillizos, etcétera) se quejen de que los bebés "confunden" el día y la noche. Otra opción es despertarlos con frecuencia durante el día para ver si prolongan sus períodos de sueño en la noche.

Dormir con los padres

La cama familiar les ha salvado más de una noche de sueño a varios padres. Los que llevan a sus gemelos a dormir con ellos, incluso sólo por una parte de la noche, dicen que los bebés parecen despertarse menos y necesitar menos atención. Dormir con los padres es una costumbre milenaria que se conserva en muchas culturas, pero es importante tener en cuenta la seguridad. Los bebés no deben dormir en camas de agua o estar acostados sobre almohadas blandas. Algunos expertos recomiendan dormir con un solo bebé al tiempo. También hay camas especiales para bebés que se ajustan a la cama de los padres.

Entrenamiento para dormir

Los defensores de los métodos de entrenamiento para dormir sugieren no ensayarlos sino hasta que los bebés nacidos a término tengan seis o siete meses. Con bebés prematuros, cuente los meses a partir de la fecha prevista originalmente para el parto y no desde la verdadera fecha de nacimiento.

El propósito del entrenamiento para dormir es ayudar a los bebés mayores a calmarse a sí mismos para dormirse. No significa dejarlos llorar hasta el cansancio. Si sus bebés ya pueden pasar períodos prolongados sin comer, deles agua en lugar de leche de fórmula cuando se despierten y/o acarícieles la espalda en lugar de alzarlos.

El sueño de los padres

Tanto la madre como el padre deben evaluar sus propias necesidades de sueño. Si se convierten en "zombis andantes" por el agotamiento, no estarán siendo justos consigo mismos ni con los bebés. Tenga en cuenta sus propios ritmos corporales y trate de dormir en los momentos en que duerme mejor.

- Después de los primeros meses de frenesí, intente establecer un horario de sueño para los bebés que le dé tiempo de relajarse antes de dormir.
- Descanse y haga una siesta durante el día al tiempo con los bebés, si es posible.
- Pídale a una amiga o contrate a alguien para que cuide a los bebés durante unas cuantas horas mientras usted duerme. Acuéstese en un lugar donde no pueda oírlos, o pídale a su amiga que salga a pasear con los bebés, pues usted no podrá dormir si los oye llorar.
- Pídale a alguien que se quede a dormir de vez en cuando para que le ayude con las comidas nocturnas, sobre todo si tiene más de dos bebés o si uno de ellos tiene algún problema de salud.
- Revise los registros de sueño de los bebés; con seguridad descubrirá un patrón que le permitirá dormir más.
- Si usted suele despertarse temprano, acuéstese más temprano.
- Si suele acostarse tarde, busque la manera de que otra persona se despierte temprano con los bebés. Los fines de semana ofrecen la oportunidad perfecta para que el papá disfrute con sus bebés mientras la mamá duerme un poco más.

Despertarse de noche no molesta a los bebés, molesta a los padres. Pero los bebés que no duermen toda la noche, o tienen dificultades para asimilar los cambios, no están tratando de manipular ni de frustrar a sus padres, simplemente están oyendo su cuerpo, y los padres deben reacomodarse hasta que se hayan sincronizado los ciclos de sueño de todos los miembros de la familia.

35 | Las salidas

A todos les viene bien recibir con cierta regularidad la estimulación de un entorno diferente al de la casa. Una larga caminata es una posibilidad para que la madre haga ejercicio y para que los bebés reciban aire fresco. Esto suele mejorar el ánimo de todos, además de ayudarles a dormir mejor. Visitar a los amigos y a los parientes suele refrescar y renovar tanto a los padres como a los bebés. Un paseo al centro comercial o a un restaurante de comida rápida para almorzar permite que los padres establezcan contacto con un entorno adulto y, a veces, conversaciones con otros adultos, incluso al ir solo con los bebés. Por lo general, los extraños suelen detener a los padres de gemelos (trillizos, cuatrillizos, etcétera) y hacerles comentarios positivos.

Para salir con varios bebés o varios niños es indispensable organizarse. El esfuerzo necesario parecerá mínimo en cuanto haya establecido un sistema, y cada minuto de organización se recompensa al descubrir que es posible salir con más de uno.

Cosas sueltas

Pregúntele al pediatra si es seguro salir con los bebés a un lugar donde estarán en contacto con otras personas, sobre todo si alguno fue prematuro, si es temporada de virus sincitial respiratorio, o si alguno tiene una enfermedad, etcétera. Por otro lado, asegúrese de salir con ellos en cuanto el médico les haya dado "el visto bueno". Por lo general, los beneficios de las salidas son mayores que los riesgos. Si es necesario, pídale al doctor que le ayude a superar el miedo que puede sentir al sobreproteger a sus bebés.

Con toda seguridad disfrutará la compañía de quien vaya con usted para ayudarle, sobre todo si tiene que cumplir con tareas específicas o sale con más de dos bebés. Sin embargo, no tema salir sola con sus bebés si nadie puede acompañarla, incluso si llegan sólo hasta la esquina.

La pañaleras

Una pañalera bien equipada contiene una almohadilla portátil para cambiar a los bebés, unos cuantos pañales más de los que cree que necesitará, ropa de cambio, una caja de pañuelos húmedos para limpiar a los bebés y para limpiarse las manos y muchas bolsas de plástico para los pañales o la ropa sucia. Si utiliza biberones o pacificadores, lleve uno o dos de recambio en caso de que a alguno de los bebés se le caiga en un lugar donde no pueda limpiarlo y lleve también más leche materna o de fórmula de la necesaria por si se tardan más de lo planeado.

También puede llevar una pequeña bolsa aislante y una neverita para las cosas que requieran refrigeración, como la leche materna extraída, algunos tipos de leche de fórmula, ciertos sólidos, algunos medicamentos, etcétera. Si uno de los niños necesita un equipo y medicamentos especiales porque tiene una enfermedad, busque una bolsa con varios compartimentos para tener estos artículos en un lugar aparte donde pueda encontrarlos fácilmente.

La mayoría de los padres prefieren las pañaleras grandes. Un morral espacioso es ideal: si se usa correctamente, el peso se balancea, no puede caerse encima de los bebés al cambiar de posición y permite tener las manos libres. Otros padres prefieren las pañaleras que se pueden colgar de un hombro, y hay unas que se pueden atar al marco del coche. Si esta es la opción que más le gusta, fíjese en que el peso de la pañalera no hará que el coche ni los bebés se inclinen al alzar a alguno. Asegúrese también de que la pañalera no esté al alcance de ninguno de los bebés. A algunos padres les parece más fácil llevar dos pañaleras pequeñas: así pueden cargar una y colgar la otra del coche.

Muchas madres ponen su cartera en algún compartimiento de la pañalera para no ir tan cargadas; si hace esto, asegúrese de que esté bien guardada para que no se la roben mientras atiende a los bebés. Otra opción es utilizar una bolsa canguro para guardar las pertenencias más importantes y tener las manos libres.

Reorganice la pañalera con los artículos más importantes en cuanto regrese a casa o todas las noches antes de irse a la cama, de esta manera ahorrará no sólo tiempo cuando tenga prisa sino la preocupación de olvidar algo indispensable.

Las sillas para el auto

Asegúrese de que las sillas cumplan con todas las normas de seguridad y de que los bebés *siempre* están bien abrochados, ya sea para un viaje de diez horas o de diez segundos (en el apartado 10 encontrará más información al respecto).

Hay muchas sillas para el auto que pueden ser utilizadas para cargar a los bebés. Sin embargo, esto puede ser incómodo y puede causarle un desgarro muscular (y, por supues-

to, llevar dos al mismo tiempo puede producirle más desga-
rros). Además, algunos pediatras han señalado la posibilidad
de que el bebé se caiga si la manija de plástico se rompe o se
suelta. Lo mejor es que los padres carguen a los bebés hasta
acomodarlos en los coches o en el auto, o que los lleven en
un cargador mientras tanto.

El coche

Es posible que un coche diseñado para gemelos (trillizos, etcétera) sea "la" pieza esencial al salir de paseo. Puede ser una
cuerda salvavidas hacia el mundo exterior, pues le permite
tener las cosas bajo control cuando sale de casa con dos o más
bebés sin la ayuda de otro adulto.

Estas sugerencias le ayudarán a organizar las salidas:

- Guarde siempre el coche en el auto o póngalo ahí la
  noche anterior a una salida planeada. Así se ahorrará
  un viaje al auto cuando esté preparando a todo el
  mundo para salir de casa.
- Nunca salga de casa sin el coche, incluso cuando no
  piense utilizarlo. Un coche múltiple le proporciona
  sillas que puede usar en otras casas. También le será
  muy útil si tiene un problema con el auto y necesita
  sacar a todos los bebés, lo que sería muy difícil de
  solucionar si no tiene un coche múltiple a la mano.
- Si quiere incrementar el contacto directo con sus bebés o no quiere llamar la atención al salir, lleve a uno
  (o más) en un cargador y a los demás en un coche;
  así, cuando la gente se dé cuenta de cuántos bebés
  lleva, usted ya estará lejos. También es menos probable que la detengan si usted evita establecer contacto
  visual.

- Si sus gemelos ya caminan y se trepan por todas partes, asegúrelos en un coche por medio de correas que se amarran al marco.

En el supermercado

Todas las familias necesitan comida, por eso el supermercado suele ser el primer lugar al que los padres se aventuran a ir con sus bebés. Lo más conveniente es decidir antes qué va a comprar, porque si se distrae es muy posible que descuide a los bebés. Las ideas para más de dos bebés se pueden adaptar si lleva gemelos y a un niño mayor:

Para todos los casos. Muchas tiendas tienen carritos para la compra con sillas para bebés. Si no hay o no están disponibles, algunas sillas para el auto encajan en la parte destinada para la silla en los carritos del supermercado. Lleve los carritos hasta su auto en lugar de llevar a los bebés en sus sillas hasta los carritos.

Al instalar una silla para bebé dentro de un carrito debe abrocharla a la parte destinada para esto (el bebé debe estar abrochado dentro de la silla, y ésta debe estar abrochada al carrito). No deje nunca una silla dentro de la parte destinada para esto si no encaja bien o no la puede abrochar, pues el bebé se puede caer.

Un carrito – gemelos. Ponga a un bebé en la silla abrochada a la parte destinada para ésta dentro del carrito, lleve al otro en un cargador y ponga los artículos de la compra en la parte del carrito destinada para ellos (algunas madres cargan a dos bebés en un cargador, pero al hacerlo es importante poder tener una mano libre para las compras).

Otra opción es poner otra silla para bebé (y al bebé) en la parte destinada para las compras cuando la parte destinada para la silla ya está ocupada. Puesto que es peligroso acumular artículos alrededor de la silla del bebé, empuje por detrás otro carrito en el que guarda las compras. Los bebés deben ir en el carrito de adelante para que usted pueda verlos todo el tiempo e interactuar con ellos.

Uno o dos carritos – trillizos o más. La mayoría de las madres de trillizos, cuatrillizos o más piden a una o dos personas que les ayuden, o dejan a uno o dos bebés en casa. Sin embargo, también es posible ir sola con los bebés si va en un momento en que todos o casi todos estén tranquilos.

Si lleva tres bebés, asegure a uno en la silla para bebés en la parte del carrito destinada para ésta, al segundo en un silla puesta en la parte destinada para las compras y lleve al tercero en un cargador. Lleve un segundo carrito para las compras (y lea las instrucciones para los gemelos).

Si no desea utilizar un cargador, el tercer bebé podría ir en un segundo carrito, en una silla abrochada a la parte destinada para ésta. Ponga los artículos en la parte destinada para ellos en el carrito de la compra.

Bebés más grandes y que ya caminan. Cuando los bebés ya se pueden sentar bien, utilice los cinturones de las sillas o los arneses para que cada uno vaya bien abrochado en sillas separadas. Algunos supermercados tienen carritos con dos sillas dentro del carrito para bebés más grandes o que ya caminan. Si sólo quiere utilizar un carrito, puede llevar a un tercer niño en un cargador. Si utiliza dos carritos, reparta los artículos que va a comprar entre los dos.

La seguridad mientras va de compras. Manténgase alerta siempre que utilice un carrito para la compra. Los bebés se pueden caer de una silla mal abrochada o se pueden lastimar si la silla se inclina. Si amontona los artículos alrededor de la silla del bebé, éste puede lastimarse si algún artículo le cae encima.

A los bebés mayores les encanta agarrar los artículos que están en los anaqueles, pero ¡esto puede ser un problema si algo le cae encima o se cae al suelo!

Si alguno de los bebés es un trepador, abróchelo a la silla del carrito con arneses amarrados al marco, pues muchos niños se liberan de los cinturones de la silla.

Cuando los bebés ya pueden sentarse bien, *nunca* es seguro sentarlos en la parte destinada para las compras sin un cinturón o un arnés. El niño puede levantarse en cualquier momento para tomar algo que le llama la atención y caerse. Estas caídas ocasionan todo tipo de heridas y visitas a la sala de urgencias. Los carritos están diseñados para llevar objetos que no se mueven; hasta el movimiento de un bebé puede hacer que el carrito se incline.

Poner a dos o más niños en la parte destinada para las compras es un accidente cantado. No sólo ellos se estimulan entre sí para agarrar los artículos que ven en los anaqueles, lo que puede ocasionar caídas, sino que además es probable que los dos se sienten en el mismo lado y el carrito se incline.

Llevar a uno solo

Si alguien se puede quedar en casa con los bebés, considere la posibilidad de llevar sólo a uno. Esto puede ser un placer para la madre y para el hijo. Una madre, por ejemplo, iba a misa cada vez con uno distinto porque esto le permitía pasar una hora con cada uno a solas. Otra llevaba sólo a uno al ir de compras. Estas madres disfrutaban la oportunidad de concentrarse en un solo bebé, y los bebés disfrutaban al contar con toda la atención de la madre por un rato. Una opción es planear excursiones con cada uno durante la siesta de los que se quedan en casa, pues así es menos probable que se molesten.

Por lo general, los humanos deseamos movernos e interactuar con otros. Y salir al exterior con más de un bebé puede ser un reto muy grande, pero las recompensas psicológicas y emocionales tanto para los padres como para los hijos hacen que el esfuerzo valga la pena.

36 Crecimiento y desarrollo: de 3 a 6 meses

El segundo trimestre de vida de los bebés se caracteriza por una conciencia creciente del entorno y de esas personas especiales que los cuidan. Hacia el tercer mes, la mayoría de los padres notan que la vida está empezando a tener una nueva rutina "normal", aun cuando no esté establecida del todo. Sin embargo, es probable que los padres estén tan ocupados en cuidar a los bebés y luchando por cumplir con las tareas domésticas que no tengan tiempo para detenerse y reconocer que está empezando a emerger un patrón en la vida cotidiana o que ya son unos expertos en organización y eficiencia.

La vida con gemelos, trillizos, cuatrillizos, o más

Entre los tres y los seis meses, los bebés se vuelven muy sociables. A todos les emociona interactuar con sus padres y con las demás personas de su entorno, y cada uno empieza a identificar como especial a la persona que más lo cuida: en la cultura occidental suele ser la madre.

- No hay nada que se compare con el hecho de ser el centro del universo para unos gemelos, trillizos, cuatrillizos o más. ¿Acaso podría haber una mejor recompensa para todo el tiempo y la atención dedicados a cada uno, que ver cómo se les ilumina la cara al mismo tiempo y cómo se agitan todos esos brazos cuando usted entra en la habitación?

- A esta edad, los bebés no suelen interactuar mucho entre sí, pero cuando están acostados uno al lado del otro, es posible que alguno busque el contacto físico y le toque la mano o el brazo al otro. A veces dos bebés pueden hacer contacto visual, y cuando están en la misma cuna, es posible que uno se monte encima del otro. Sin embargo, durante esta época lo más probable es que cada uno esté más interesado en conocer sus manos y sus pies que en su(s) hermano(s).

- La sonrisa es una forma de interacción muy importante a esta edad, pero no todos los bebés prodigan tantas sonrisas como otros. Aunque todos deberían sonreír espontáneamente de vez en cuando, no espere la misma cantidad de sonrisas por parte de todos. No se lo tome como algo personal si el temperamento de alguno hace parecer que es tacaño con las sonrisas, y tampoco interprete una mirada más bien sobria como infelicidad. Algunos bebés simplemente son más serios por naturaleza. En todo caso, si un bebé no sonríe casi nunca o nunca, comuníqueselo al pediatra.

- La mayoría de los padres se sienten más sintonizados con el estilo de comportamiento de cada bebé durante el segundo trimestre de vida, y el ensayo y error les ha enseñado cuáles técnicas funcionan mejor para tranquilizarlos. No obstante, las sutilezas de la personalidad siguen siendo difíciles de distinguir ya que el proceso de diferenciación aún no se ha terminado (ver apartado 23).

- Durante estos meses, el llanto irritable y el cólico tienden a desaparecer y casi todos los bebés se calman más fácilmente. Sin embargo, el comportamiento irritable no desaparece por completo y reaparece sobre todo cuando alguno de los bebés está demasiado cansado o hambriento, o necesita contacto humano.

- Si alguno de los bebés es demasiado sensible seguirá reclamando más atención de sus padres, y éstos deberán seguir respondiendo a las llamadas de cada uno. Es imposible tratarlos a todos de la misma manera, y tampoco es necesario hacerlo, pues cada bebé es un individuo con distintas necesidades.

- Si los bebés pasaron mucho tiempo en una unidad de cuidados intensivos neonatales debido a un parto prematuro o una enfermedad, puede presentarse un retraso en la etapa de los tres a los seis meses. De todos modos, los gemelos (trillizos, cuatrillizos, etcétera) que fueron prematuros, sufrieron de restricción del crecimiento o tuvieron alguna enfermedad al nacer, suelen verse y actuar más como bebés "normales" al llegar al segundo trimestre de vida. La mayoría de los padres también se sienten más seguros hacia esta época. Sin embargo, a algunos les cuesta creer que sus bebés ya están sanos y por eso tienden a ser sobreprotectores con sus bebés o les cuesta establecer los lazos afectivos. Si se ha diagnosticado que los bebés ya están sanos y usted sigue pensando que son frágiles, comuníquele sus sentimientos al pediatra.

Crecimiento y desarrollo

Las investigaciones indican que los bebés de partos múltiples reciben menos estimulación física y verbal de sus padres que los de partos individuales. Al estar inmersos en todas las labores correspondientes al cuidado de los bebés, parece que algunos padres les hablan menos a sus hijos y juegan menos con ellos. Pero cada uno de estos bebés necesita la misma cantidad de estimulación que cualquier otro para incentivar el desarrollo de las habilidades físicas y verbales.

Proporcionar la estimulación necesaria para el desarrollo óptimo de cada bebé no toma demasiado tiempo adicional ya que se puede incorporar a las tareas del cuidado de los niños. No obstante, los padres deben hacer un esfuerzo para aprovechar las oportunidades de estimular a los bebés mientras cumplen con otra labor. Para estimular el desarrollo óptimo de cada bebé:

- Reconozca que sus bebés no podrían tener un juguete más interesante que usted.
  - Aproveche cualquier momento para establecer contacto visual e interactuar con un bebé a solas, ya sea al cambiarle el pañal, limpiarle la cara o simplemente al compartir un rato en calma. Esos minutos cuentan.
  - Si un terapeuta ocupacional o físico está trabajando con alguno de los bebés, pídale que le enseñe los ejercicios y practique con el bebé al realizar otra tarea relacionada con el cuidado del mismo (muchos de estos ejercicios son apropiados y divertidos para todos los bebés).
  - No pierda ninguna oportunidad de abrazar o besar a sus bebés y reforzar el nombre de cada uno;

siempre es posible abrazar, besar y decir: "Te quiero (inserte el nombre)", al mismo tiempo. Los masajes individuales proporcionan una oportunidad maravillosa para conectarse con cada bebé.

– Alterne entre establecer contacto visual y jugar con los bebés; esto lo puede hacer al cargar a más de uno, o puede arrodillarse a los pies de los bebés acostados en el suelo sobre una cobija (este es un método muy bueno para poner a los bebes en fila y cambiarlos). Sin importar cuántos bebés esté tocando, sólo puede mirar a los ojos a un bebé a la vez.

– Al establecer contacto visual y jugar con un bebé, llámelo por su nombre. Cada uno necesita escucharlo durante los momentos de contacto visual para, con el tiempo, poder entender que ese nombre le "pertenece" sólo a él. Muéstrele a cada uno su reflejo en el espejo a la vez que lo llama por su nombre. Sus hijos son unos bebés, pero cada uno está aprendiendo que es valorado como un individuo y como parte de un grupo.

– Imite las caras y los sonidos que hace cada uno. Haga contacto visual con ese bebé para demostrarle que desea que repita los gestos o los sonidos. No tema hacer caras y ruidos para que el bebé los imite.

– Hable con cada bebé al cuidarlos. Describa y explique lo que ven en la casa al llevarlos de una habitación a otra. Hágales preguntas. Aunque son demasiado pequeños para responder, están aprendiendo cómo cada expresión cambia el lenguaje.

– Recuerde que los brazos de los padres son el principal "cargador" de los bebés, aunque en ocasiones necesite la ayuda de unos brazos adicionales, tales como las sillas rebotadoras y los columpios para bebés. La estimulación que cada bebé recibe cuando usted lo carga en sus brazos o en su regazo es irremplazable.

- Esté alerta, aplauda y estimule todos los esfuerzos del bebé por alcanzar cada nueva meta, ya sea el interés de uno por hacer un sonido o el intento de otro por darse la vuelta.

- Busque en los catálogos especializados los diferentes juguetes paras las distintas etapas de desarrollo. Los tamaños, los colores y las texturas de los juguetes diseñados para esta edad suelen promover algún aspecto del desarrollo infantil. Con mucha frecuencia, los padres pueden sustituir estos juegos por objetos encontrados en la casa que puedan cumplir una función parecida.

- Monitoree el proceso de cada bebé de tres a seis meses tal como se describe en los libros acerca del crecimiento y el desarrollo de los niños. Preste atención a las variaciones normales dentro de cada grupo de edad, especialmente en el caso de los gemelos (trillizos, cuatrillizos, etcétera) fraternos, pues éstos suelen alcanzar las metas del desarrollo en momentos distintos. Consulte al pediatra si tiene preguntas o si le preocupa el desarrollo de alguno.

  - Si los bebés fueron prematuros, y sobre todo si fueron muy prematuros, probablemente tendrá que ajustar las etapas establecidas para medir el crecimiento y el desarrollo según la fecha prevista originalmente para el parto (a término) en vez de seguir la verdadera fecha de nacimiento (prematuro).

Pregúntele al pediatra cuándo se espera que se "pongan al día" con otros bebés que han nacido en la misma fecha.

- El nacimiento prematuro, el bajo peso y las enfermedades graves al nacer pueden dar lugar a retrasos del desarrollo que no tienen que ver con la fecha prevista para el nacimiento. Por esta razón, es importante monitorear a estos bebés continuamente para detectar cualquier retraso durante los primeros años de vida. La detección temprana de un retraso y la intervención inmediata pueden tener un gran impacto en el desarrollo del niño. En el caso de los bebés que probablemente necesitarán tiempo para ponerse al día, es importante balancear las expectativas realistas con las preocupaciones legítimas de que puedan estar quedándose atrás. Si en algún momento le preocupa el desarrollo de uno de sus bebés, no olvide comunicarle al pediatra su historia médica.

La rutina diaria

A los tres meses, la mayoría de los bebés ya ha establecido una rutina bastante predecible. Sin embargo, esa rutina no es necesariamente la que los padres consideran como la ideal.

- A esta edad, los bebés suelen estar despiertos durante períodos más largos y muchos empiezan a dormir más horas seguidas.
- Por lo general, entre los tres y los seis meses los padres pueden predecir aproximadamente a qué horas dormirá de día y de noche y a qué hora se despertará para comer en la noche cada bebé. Aunque es posi-

ble que alguno de los bebés ya esté listo para dormir más horas seguidas en la noche, la necesidad de ser alimentado al mismo tiempo con su(s) hermano(s) permanece. Durante el primer año, los bebés empiezan a desarrollar la confianza en sí mismos y a descubrir que pueden contar con sus padres, por eso es muy importante responder a sus llamados cuando muestran que necesitan contacto humano, de día y de noche (ver apartado 34).

- Cuando son idénticos, tienden a desarrollar patrones de sueño y vigilia muy similares; tienden a hacer las siestas a la misma hora y la misma cantidad de veces sin que los padres los estimulen. Cuando son fraternos, en cambio, suelen desarrollar patrones bastante distintos, y algunos se adaptan más fácilmente que otros si los padres los estimulan a desarrollar patrones similares.

- Cuando los relojes internos de unos bebés saludables son distintos, a algunos padres les funciona despertar a uno para darle de comer justo después que al otro (o al mismo tiempo) durante el segundo trimestre, incluso si en los primeros tres meses no tuvieron suerte con este sistema. Sin embargo, también puede ocurrir lo contrario: uno de los bebés que durante el primer trimestre se despertaba voluntariamente para ser alimentado al tiempo con el otro, o justo después, cuando sea mayor puede resistirse o molestarse si se le despierta.

- Si usted ha estado despertando a un bebé al tiempo con otro, o justo después, para darle de comer por la noche, ya es hora de ver qué pasa si deja dormir a ese segundo bebé. A veces los padres no se dan cuenta de que un bebé ya está listo para dormir más horas seguidas, o toda la noche, porque siguen despertándolo.

Factores que afectan la rutina. Por lo general, entre los tres y los seis meses ya se ha desarrollado una rutina doméstica, pero hay factores que pueden afectar este proceso.

- Es probable que se requiera más tiempo cuando las respuestas comportamentales de los bebés son muy distintas; por ejemplo, si alguno necesita mucha atención o si tienden a imitarse cuando los padres creen que ya pueden predecir cómo responderá cada uno a una situación dada.
- Si los bebés fueron prematuros y tuvieron que pasar varias semanas en una unidad de cuidados intensivos neonatales (UCIN), la rutina se desarrollará a partir de la establecida en la UCIN. Muchos bebés conservan el horario de alimentación y sueño al que se acostumbraron en la UCIN. Sin embargo, otros parecen querer compensar el tiempo perdido y reclaman atención las 24 horas del día desde el momento en que se dan cuenta de que están en un ambiente diferente. Por supuesto, también es normal que un bebé conserve el horario de la UCIN y que el otro necesite una rutina más flexible.
- El desarrollo de la rutina también puede tardar más tiempo cuando alguno de los bebés tiene problemas de salud que requieren atención especial en casa. De todos modos, la mayoría de los padres dicen que entre los tres y los seis meses ya se sienten familiarizados con la rutina requerida por algún procedimiento especial o por el uso de ciertos equipos, a no ser que la salud

del bebé sufra una alteración repentina y requiera un cambio en el procedimiento o en los equipos.

Las comidas

La mayoría de los bebés ya han establecido una rutina para las comidas a los tres meses. Sin embargo, entre los tres y los seis meses pueden producirse algunos cambios.

- Entre los tres y los seis meses, los bebés interactúan más con la persona que los alimenta. No deje de cargarlos al alimentarlos; el contacto social que proporcionan las comidas es bueno tanto para usted como para los bebés.

- La mayoría de los bebés que son amamantados experimentan otra aceleración en el crecimiento (conocidas también como "estirones") en algún momento entre las doce y las quince semanas y, una vez más, hacia los seis meses. Estos "estirones" implican períodos de alimentación más frecuentes durante dos o tres días. Si sus bebés muestran señales de una aceleración en el crecimiento al mismo tiempo, la necesidad de comer con más frecuencia puede durar entre cuatro y seis días. También es posible que los bebés experimenten estos estirones uno después del otro, de modo que se necesitarán una o dos semanas en total para que todos los bebés pasen por este período.

- Entre los tres y los seis meses, es probable que sus gemelos (trillizos, cuatrillizos, etcétera) empiecen a prescindir de una o dos comidas, ya sea que estén recibiendo pecho o biberón. ¡Con suerte, todos prescindirán de una de las comidas nocturnas! (Algunos bebés que son amamantados prescinden de una o dos comidas poco después de un período prolongado de estirón, en el que han necesitado comidas más frecuentes).

- Los gemelos (trillizos, cuatrillizos, etcétera) que siguen prefiriendo ser alimentados con más frecuencia suelen volverse muy eficientes para comer durante el segundo trimestre, de manera que las comidas duran mucho menos. Lo más probable es que vacíen un pecho o un biberón y queden satisfechos en cuestión de minutos. Cuando un bebé mayor es amamantado en menos de cinco minutos, a las madres suele preocuparles que el bebé no esté comiendo lo suficiente; pero lo que sucede es que no se dan cuenta de que el bebé, sencillamente, se ha vuelto más eficiente, sobre todo si los otros bebés disfrutan de largas sesiones de lactancia. La madre puede comprobarlo al contar la cantidad de pañales que moja y ensucia el bebé. A no ser que esa cantidad disminuya demasiado, el cambio en el patrón de las comidas se considerará como normal.

- Hacia el final del segundo trimestre, los bebés se distraen con mucha facilidad durante las comidas. Si alguno ve o escucha algo a su alrededor, lo más probable es que deje de mamar para ver qué pasa; esta distracción puede ser, por ejemplo, otro bebé que está siendo amamantado al mismo tiempo.

- Ocasionalmente, un bebé indica que ya está listo para recibir sólidos antes de los seis meses. Sin embargo, esto es una excepción, no la regla. No alimente a los bebés con algo que no sea leche materna o de fórmula sin antes consultarlo con el pediatra. Hay razones por las cuales no se les deben dar sólidos a los bebés antes de tiempo, y hay ciertos sólidos más adecuados que otros (para coordinar cómo darles sólidos a varios bebés al tiempo, vea el apartado 37).

Después del torbellino de los primeros meses de ajuste, el período de los tres a los seis meses suele ser una época de calma. Disfrútelo y agradézcalo. Mire hacia atrás para darse cuenta de cuánto han progresado usted y su familia, y asegúrese de darse una palmadita de felicitaciones, ¡se la merece!

37 Crecimiento y desarrollo: de 6 a 9 meses

Esta una época de cambio para los bebés. Para la mayoría, la dieta que antes era sólo líquida empieza a incluir alimentos sólidos, y casi todos pasan del regazo de los padres al suelo a medida que su movilidad aumenta y empiezan a explorar las fronteras de la casa. Seguirle el ritmo a los retos que implica supervisar a dos o más bebés que están aprendiendo a valerse por sí mismos puede ser muy emocionante.

Crecimiento y desarrollo

Desarrollo de la motricidad. Las diferencias relacionadas con el "tipo de gemelos" (es decir, si son idénticos o fraternos) suelen hacerse más notorias a medida que los bebés crecen. La apariencia, el estilo de comportamiento y el grado de actividad se definen más claramente a medida que los bebés alcanzan diversas metas del desarrollo.

Por lo general, los gemelos (trillizos, cuatrillizos, etcétera) fraternos se concentran en desarrollar distintas habilidades, sobre todo si son niño y niña. Es probable que uno de los bebés se concentre más en ganar motricidad gruesa mientras que el otro se concentra en la motricidad fina. Por lo general, tienden a desarrollar de un modo distinto una misma habilidad.

Los gemelos (trillizos, cuatrillizos, etcétera) idénticos, en cambio, desarrollan las mismas habilidades al mismo tiempo y suelen aprender una nueva habilidad exactamente al mismo tiempo, incluso cuando no pueden verse el uno al otro.

Las nuevas fronteras. Usted y todas las cosas que haya en la casa son los juguetes más importantes para el desarrollo de los bebés, que están aprendiendo todo el tiempo, al tocar y al probar, al observar y al escuchar. Ahora, al cargar a cualquiera de sus pequeños, cuente con sus manotazos y codazos, pues están descubriendo las narices, las bocas, las orejas, el pelo y cualquier objeto que esté cerca de la cara de los padres, como los aretes, las gafas y los sombreros.

Cada objeto que descubren tiene color y sonido, textura y forma: el material de los muebles, el metal y el plástico de los utensilios de la cocina, el color de las cortinas en las distintas habitaciones, las curvas y los ángulos de los objetos que caben en sus pequeñas manos. Cada bebé registra todas estas experiencias en su cerebro y organiza esta información para usarla en el futuro.

Aunque alguno parezca ser un explorador más activo mientras que el otro tiende a ser más observador, todos los bebés a esta edad agarran los objetos con sus manos para después llevárselos a la boca.

Los padres probablemente notarán que el uso intermitente de ciertos equipos, como los centros de juego, son indispensables para la supervivencia. No obstante, evite usar demasiado o abusar de estos equipos. La tentación de poner a los bebés en estos juegos puede ser mayor cuando hay que seguirles la pista a varios bebés en movimiento, pero el desarrollo óptimo de su cuerpo y su cerebro depende de las oportunidades que tengan para explorar la casa gateando y utilizando sus piernas y sus brazos.

Cuando un bebé empieza a darse la vuelta y a desplazarse, la seguridad "a prueba de niños" se hace fundamental para que los padres puedan conservar su cordura y muchas piezas delicadas ¡incluyendo a los bebés! Cuando ya pueden moverse en varias direcciones al mismo tiempo, los padres estarán más tranquilos si el entorno es seguro para sus pequeños exploradores (ver apartado 39).

Las habilidades verbales. Entre los seis y los nueves meses, los bebés empiezan a hacer más sonidos con propósitos determinados y se esfuerzan por repetir los sonidos que oyen. Siempre que le sea posible:

- Establezca contacto visual con el bebé que esté haciendo algún sonido e imítelo.
- Identifique verbalmente los objetos que el bebé está observando, tocando o probando.
- Descríbale y explíquele el entorno de su hogar y su barrio; por mucho que usted les hable a sus bebés, nunca será demasiado.
- No deje de crear oportunidades para llamar a cada uno por su nombre. Durante este período, la fascinación que sienten los niños al verse en el espejo no hace más que incrementarse, por tanto, aproveche los juegos ante el espejo para señalar al bebé y después su reflejo a la vez que lo llama por su nombre. Por lo general, un bebé reconoce su nombre al llamarlo hacia los nueve meses, de modo que es una meta razonable que cada gemelo (trillizo, cuatrillizo, etcétera) también pueda hacerlo a esa edad.

Otros aspectos. A la mayoría de los bebés les empiezan a "salir" los dientes entre los seis y los nueves meses. Sin embargo, a veces no les salen sino después de haber cumplido el primer año. Esto irrita a algunos bebés, mientras que a otros parece no molestarlos. Con frecuencia, en el caso de los gemelos (trillizos, etcétera) idénticos, a cada uno le sale un nuevo diente con un día de diferencia, a veces incluso horas. Si son fraternos, en cambio, es posible que uno ya tenga muchos dientes antes de que le empiecen a salir al otro.

Entre los seis y los nueve meses, los bebés tienden a contraer más enfermedades que *no son graves*. Cualquier cosa que le dé a uno es muy probable que le(s) dé también al otro (a los otros). El primero que se contagie de una enfermedad expone al otro (a los otros) antes de que se manifiesten los síntomas. Por lo general, es imposible prevenir que esto suceda, pero si alguno de los bebés tiene una salud delicada, vale la pena tener ciertas precauciones.

Es recomendable que los padres sigan registrando el desarrollo de los bebés *prematuros* según la fecha prevista originalmente para el nacimiento, sobre todo en el caso de los bebés muy prematuros o nacidos antes de la semana 33.

Hacia el final del octavo mes, es posible que los bebés que hasta entonces se dejaban alzar por cualquier persona se vuelvan selectivos y prefieran a sus padres y a quienes están con ellos casi todos los días. Más o menos en esta época, la mayoría de los bebés desarrollan lo que se conoce como "ansiedad ante los extraños", y es probable que ésta afecte más a un bebé que a otro(s).

Alimentos sólidos

Empezar a alimentar a los bebés con alimentos sólidos puede ser un paso emocionante en su desarrollo, pero hay que esperar el momento indicado. Aunque otras personas estimularán a los padres para que lo hagan y les sugerirán que esto ayuda a que los bebés duerman más tiempo y se muestren más alegres, esto no está comprobado. El desarrollo del bebé es el que indica si el bebé está listo para comer alimentos sólidos, y es posible que los bebés no estén listos al mismo tiempo.

Antes de empezar a darle sólidos a cualquiera de sus bebés, hable con el pediatra acerca del "cuándo" y el "cómo" de cada tipo de alimento. Darle sólidos a un niño que no está preparado físicamente para ser alimentado con una cuchara puede ser un ejercicio inútil, pues su lengua vuelve a sacar la comida al instante. Además, si el sistema digestivo aún no está lo suficientemente maduro como para recibir sólidos, esto puede proporcionarle masa pero no cumple su función nutricional, y si el bebé es muy sensible puede provocarle alergias.

Pocos bebés tienen la habilidad de tragar fácilmente alimentos sólidos y digerirlos antes de los cuatro meses (en el caso de los bebés nacidos a término); la mayoría están listos para empezar a comer sólidos entre los seis y los siete meses. Sin embargo, algunos bebés no necesitan o no muestran interés en los alimentos sólidos sino después de los ocho o los nueve meses.

Además de haber llegado a la mitad del primer año, otras señales de que un bebé está listo para comer alimentos sólidos son: su habilidad para sostener la cabeza en alto al estar sentado, mostrar interés o intentar agarrar la comida cuando los demás comen, y prever que viene un bocado y abrir la boca cuando se le ofrece comida. Además, un bebé que está siendo amamantado parecerá estar en medio de un "estirón" que se prolonga durante varios días.

No empiece a darles sólidos a todos los bebés al mismo tiempo sólo porque son gemelos (trillizos, cuatrillizos, etcétera). Cada uno debe demostrarle cuándo está listo para esta nueva experiencia alimentaria, sin tener en cuenta al otro (o los otros). No se sorprenda si cada uno demuestra que está listo de una manera diferente. Al darles sólidos a sus bebés, le puede ser útil esta información:

- Los gemelos idénticos suelen estar listos y demostrar interés en los sólidos al mismo tiempo. Los fraternos, en cambio, pueden estar listos o mostrar interés con varias semanas o incluso meses de diferencia.

- Puesto que es probable que el sistema de los bebés *prematuros* necesite más tiempo para madurar, es posible que ya sean mayores pero no estén listos para recibir alimentos sólidos. Hable con el pediatra acerca de los beneficios y los riesgos de ofrecerles sólidos a los bebés que fueron prematuros.

- A pesar de que el hierro de la leche materna se digiere mejor y de que muchos tipos de leche de fórmula contienen hierro, es posible que algunos gemelos (trillizos, cuatrillizos, etcétera) prematuros, o el gemelo idéntico que fue el "donante" en caso de "síndrome de transfusión fetal", necesiten gotas de hierro suplementarias. El pediatra determinará si necesita más hierro por medio de un examen de sangre muy sencillo.

- Para seguir produciendo leche, siga amamantando a sus bebés *antes* de ofrecerles sólidos. Con los bebés que están siendo amamantados se recomienda esperar un poco antes de empezar a darles otros líquidos, como por ejemplo jugos.

- Para darles sólidos a varios bebés al mismo tiempo, siéntelos uno al lado del otro en sillas para niños, utilice un solo tazón y una sola cuchara, y vaya dándoles una cucharada a cada uno, turnándose.

- Cada bebé esperará más pacientemente el nuevo bocado si tiene en las manos una pequeña cuchara o un juguete para entretenerse mientras le toca su turno.

- Cuando los dos padres están disponibles para las comidas, los dos deben ser los responsables de alimentar a los pequeños. Pueden dividirse y turnarse quién alimenta a cuál bebé y, así, todos pueden pasar un tiempo juntos "a solas".

- Una opción para ahorrar tiempo y problemas es darles la comida antes de que el resto de la familia se siente a comer, pero los pequeños también pueden hacer parte de la reunión familiar si están en sillas altas para niños. Deles juguetes a los más pequeños para que se entretengan; los más grandecitos disfrutarán al experimentar con esa nueva comida que pueden comer con los dedos y compartir con la familia al mismo tiempo.

- Cuando son más grandecitos, los bebés necesitan sentir de vez en cuando la seguridad que produce ser alimentados en brazos de su madre (o su padre). Hay bebés mayores que tienden a buscar un seno de la madre, que quieren sostener su propio biberón o tomarse de las manos al ser alimentados en brazos.

- Muchos padres quieren preparar algunos de los alimentos sólidos, o todos, en lugar de comprarlos. Algunos para ahorrar dinero; otros, porque prefieren darles alimentos "naturales" a sus hijos. Muchos de los alimentos que consumen los adultos son adecuados para los bebés si se cocinan y se licuan apropiadamente y no se les añaden condimentos. Sin embargo, hay ciertos alimentos que no se les deben ofrecer durante el primer año, por eso es importante aprender primero qué deben comer los bebés y cómo prepararlo.

- Cambiar de la leche de fórmula a la leche de vaca puede parecer una buena opción para reducir gastos, pero los médicos lo desaconsejan. Por el contrario, recomiendan seguir amamantando a todos los bebés o seguirles dando leche de fórmula por lo menos durante los primeros doce meses, y es probable que sea necesario extender este período si los bebés fueron prematuros o padecen alguna enfermedad.

La rutina

La rutina diaria sigue evolucionando a medida que los bebés pasan más tiempo ocupados con el desarrollo de su motricidad, y es posible que esto afecte una rutina que ha funcionado durante semanas o meses. Por lo general, cuando los padres tienen un solo bebé, no les cuesta adaptarse a los cambios, pero un cambio en el comportamiento o en las habilidades de un bebé afecta a todo el grupo (sean gemelos, trillizos, cuatrillizos, etcétera), y los padres sienten más la alteración de la rutina.

- Entre los seis y los nueve meses, es posible que uno (o todos los bebés) empiece(n) a prescindir de una siesta; por lo general se trata de una siesta matutina.
- También es posible que uno (o todos) prolongue(n) los períodos entre las comidas a medida que su interés por los sólidos aumenta.
- Probablemente tendrá que bañarlos con más frecuencia a medida que empiezan a pasar más tiempo en el suelo o descubren usos nuevos y creativos de la comida sólida. En cuanto pueden mantenerse sentados

por sí mismos, la mayoría disfruta los baños compartidos con sus hermanos; esto ayuda a los padres a ahorrar tiempo y energía (pero vea también el apartado 39).

- Durante este período, no es extraño que un bebé vuelva a empezar a despertarse en la noche, pero es difícil determinar la causa (puede ser porque le están saliendo los dientes, porque tiene alguna enfermedad que no es grave, porque está experimentando ansiedad ante los extraños o por cualquier otra razón a veces es difícil saberlo).

El período entre los seis y los nueve meses es una época divertida. A medida que sus bebés empiecen a interesarse más por el entorno, usted tendrá más tiempo de apreciar sus diferencias y similitudes, así como sus estilos individuales. También es probable que se dé cuenta de que tiene un poco más de tiempo para usted y los demás miembros de la familia.

38 Crecimiento y desarrollo: de 9 a 15 meses

Los bebés entran en esta etapa gateando… ¡y salen de ella caminando o corriendo! A esta edad, puede ser todo un reto intentar llevarles la delantera a sus bebés; y cuando le den un minuto para relajarse, usted quedará cautivada por la relación que florece entre ellos. En este apartado, le echaremos un vistazo a este fascinante período del desarrollo de los gemelos (trillizos, cuatrillizos, etcétera) y daremos varias sugerencias para hacer más suave la ruta de los padres (ver también apartado 39).

Crecimiento y desarrollo

Desarrollo físico y motor. En esta época, los bebés están ocupados refinando "viejas" habilidades y aprendiendo nuevas. Ahora se desarrolla plenamente la personalidad de cada uno, todos tienden a pasar mucho más tiempo interactuando física y visualmente entre sí y el "tipo de gemelos" se hace más obvio.

Si son *idénticos*, lo más probable es que ya hayan compensado cualquier diferencia física grande que haya estado presente al nacer. Para este momento, lo más usual es que el patrón de crecimiento, el peso, la altura, el patrón de crecimiento del pelo así como el color y la textura, y el tono de la piel, sean muy parecidos. Los padres ya los distinguen, pero no es raro que los confundan de vez en cuando.

Como sucede con otros aspectos del comportamiento, los gemelos (trillizos, cuatrillizos, etcétera) idénticos tienden a tener un desarrollo motor y un nivel de actividad muy parecidos. Los dos, o todos, se inclinan a ser más activos físicamente o más observadores; todos se concentran en el desarrollo de la motricidad gruesa o, al contrario, de la motricidad fina.

Cuando son *fraternos*, el desarrollo motor y el nivel de actividad pueden ser similares u opuestos. Si son niño y niña, lo más probable es que el niño desarrolle un mayor nivel de actividad y se concentre más en la motricidad gruesa.

Desarrollo del lenguaje. Los bebés más grandecitos y que ya caminan siguen haciendo sonidos con propósitos determinados y con frecuencia intentan decir ciertas palabras. Para estimular el desarrollo del lenguaje, repita el sonido o la palabra pronunciada, establezca contacto visual con ese bebé y señale el objeto nombrado.

A los quince meses, cada bebé debería reconocer su nombre y su imagen en el espejo. Si alguno no responde a su imagen, juegue a señalarlo al tiempo que dice su nombre. A veces, sobre todo cuando son idénticos, los bebés se confunden y miran al otro (o los otros) al ver su reflejo en el espejo. Si alguno parece confundirse con mucha frecuencia al verse en el espejo, diga su nombre al señalar su imagen en el espejo y después señálelo a él repitiendo su nombre.

La habilidad de utilizar el lenguaje se conoce como "lenguaje expresivo", y la habilidad de comprenderlo como "lenguaje receptivo". Es normal que haya diferencias entre la habilidad de cada bebé para decir palabras y frases, pero debe haber pocas diferencias en su capacidad de comprender el lenguaje.

A esta edad, todos los bebés deben ser capaces de comprender una buena cantidad de palabras y de responder a peticiones sencillas. Si alguno tiene dificultades con el lenguaje receptivo entre los 15 y los 16 meses, comuníqueselo al pediatra.

En el desarrollo del lenguaje expresivo hay una variación muy grande. Las niñas tienden a hablar antes que sus hermanos, y es probable que alguno de los bebés hable mucho antes que el otro. A veces, los padres se preocupan sin necesidad cuando hay diferencias entre las habilidades verbales de unos bebés que ya caminan.

Si alguno tiene menos habilidades verbales, estimúlelo a hablar en lugar de dejar que hable por él el que tiene más habilidades. Esto le permite al niño practicar las palabras y les ayuda a los padres a estar más atentos en caso de que tenga problemas con el lenguaje receptivo. La mayoría de los bebés que ya caminan pueden comunicar sus deseos y opiniones de alguna manera si entienden lo que se les está diciendo.

Otros aspectos. La ansiedad ante los extraños es común en los bebés más grandes y que ya caminan, y la mayoría se encargan de dejarles muy en claro a sus padres que prefieren estar con ellos. Sin embargo, a muchos de los gemelos (trillizos, cuatrillizos, etcétera) les afecta menos. Los padres son la "base del hogar" para la sensación de seguridad que están desarrollando, pero estos hermanos tienden a convertirse en una segunda "base" entre sí.

Es probable que alguno de los bebés no quiera salir sólo con su madre o con su padre porque está afianzando la relación con su(s) hermano(s). Incluso es posible que alguno se enfade si el otro sale con su padre o con su madre, pues a esta edad no pueden comprender la idea de "turnarse".

Durante este período, es probable que los padres se den cuenta, de repente, de que cada uno ha desarrollado una relación individual con cada bebé. Esto parece suceder más temprano si son niño y niña, y más tarde si son idénticos.

Las comidas

La dieta de sus bebés empieza a parecer más "adulta" a medida que pasan de la comida licuada a alimentos más sólidos que ellos pueden agarrar con los dedos. Cada uno demostrará que está listo para recibir alimentos nuevos y desarrollar nuevas habilidades para comer en momentos diferentes y de distintas maneras.

- Poco a poco, los bebés aprenden a comer por sí mismos. Al principio, usted tendrá que combinar darles la comida y dejarlos comer por sí mismos; pero en cuanto vea que alguno está utilizando el dedo gordo y el índice para agarrar cosas, ofrézcale un tazón con un poco de comida y una cuchara.

- Deles líquidos en una taza pequeña que tenga asas o en una taza que puedan rodear con las manos; también hay tazas especialmente diseñadas para bebés de esta edad (o para bebés un poco más pequeños), éstas son más manejables.

- A los nueve meses, empiece a darles lo más pronto posible comida que puedan agarrar con los dedos. Para los padres es más fácil ayudarle a un bebé, o tomar un bocado de su propia comida, si el otro (o los otros) puede(n) comer algo por sí mismo(s).

La combinación de dos o más bebés con altos niveles de actividad y alimentos que se pueden comer con los dedos puede terminar en guerras de comida. En este caso, quíteles la comida a los guerreros y explíqueles por qué. Después de uno o dos minutos, devuélvales la comida. Repita este proceso si la guerra recomienza. Separar las sillas a veces ayuda a mantener el orden durante las comidas.

Los bebés que ya caminan suelen darle usos muy interesantes a la comida… ¡y a los padres les conviene pensar en esto como en una señal de que están desarrollando la creatividad!

Ponga un trapo debajo de las sillas para que sea más fácil la limpieza, pues entre las guerras de comida y los usos creativos descubiertos por los bebés, varios de ellos dejarán caer al suelo los alimentos.

Muchos bebés se destetan durante este período, pero no es raro que sigan recibiendo pecho o biberón. Cuando son idénticos tienden a destetarse al mismo tiempo; en el caso del los fraternos puede suceder al mismo tiempo o con meses de diferencia. Asimismo, puede que alguno parezca estar listo para el destete pero que siga recibiendo pecho o biberón porque el otro sigue haciéndolo.

El crecimiento físico y el apetito suelen aminorar el ritmo hacia los doce y los quince meses, pero es posible que las necesidades nutricionales de cada bebé sean distintas. Incluso cuando son idénticos y presentan el mismo índice de crecimiento es posible que coman diferentes tipos y cantidades de comida.

El primer cumpleaños

¡Qué alegría! ¡Lo logramos! Este cumpleaños parecerá más una celebración de los padres que de los bebés. Además, ellos no entienden aún el significado de los cumpleaños; por tan-

to, no les importará si viene toda la familia extensa y los veci-
nos, o si los padres deciden celebrarlo en pequeño. Los planes deben tener en cuenta las necesidades de los padres y el
tiempo que estén dispuestos a invertir en la preparación.

El primer cumpleaños es la oportunidad perfecta para
reafirmar la individualidad de cada bebé, aunque todos comparten este día especial. Recuérdeles a los invitados que son
varios los niños que están celebrando, no una entidad colec-
tiva.

Compre, hornee o pídale a la abuela varios pasteles pequeños e individuales, o divida un pastel rectangular en varios trozos individuales y decórelos. Cántenle a cada uno,
uno por uno (algunas familias alternan a cuál se le canta primero, empezando con el que nació primero en el primer año,
el que nació de segundo en el segundo año, y así sucesivamente). También pueden cantarles a todos una sola vez, pero
canten el nombre de cada uno en vez de: "Feliz cumpleaños
queridos gemelos (trillizos, cuatrillizos, etcétera)".

¡Listos o no!

Los bebés que pueden desplazarse pueden ser unos torbelli-
nos divertidos y enloquecedores. La nueva preocupación del
uno por el otro puede tener consecuencias maravillosas y
peligrosas, y aún no es tiempo de relajarse, ¡pues los bebés
mayores y que caminan son más entretenidos y más interesantes!

39 | Un mundo a prueba de niños

Crear un entorno seguro exige que los padres piensen todo con más cuidado y estén alerta cuando los bebés crean distracciones que pueden implicar peligros potenciales. Los padres de gemelos (trillizos, cuatrillizos, etcétera) deben aguzar sus habilidades de observación y previsión.

Todas las edades

Hay ciertos adagios de seguridad que no tienen restricción de edad.

- Con frecuencia, alguno se lastima cuando los padres están atendiendo al otro (o a los otros).
- Las situaciones que son peligrosas para un bebé suelen ser más peligrosas cuando hay más bebés.
- Es fácil menospreciar las capacidades mentales y físicas de cada bebé al tener que lidiar con diversos ritmos de desarrollo al mismo tiempo.
- Cuanto más activos físicamente sean los bebés, más desafiante será la creación de un entorno seguro para los niños.
- Ya sea por diferencias relacionadas con el sexo o la socialización, los niños tienden a adoptar comportamientos más arriesgados que dan a lugar a accidentes y heridas.

- Quizá le tome el doble de tiempo abrochar y desabrochar a todos los bebés, pero *nunca* encienda el auto antes de que todos estén bien sentados y abrochados en sus sillas (o en los asientos, si son más grandes).

La mayoría de las sugerencias que encontrará a continuación se deben intensificar a medida que sus bebés crecen.

Desde el nacimiento hasta los seis meses

Equipos que no son seguros, un uso inadecuado y las caídas suelen ser los responsables más frecuentes de los accidentes durante el primer año.

- No pida prestado ni compre equipos usados en el caso de las cunas y las sillas para el auto, a no ser que esté *seguro* de que cumplen con las normas de seguridad.
- *Nunca* deje a un bebé en o sobre algo que esté por encima del suelo, a no ser que usted esté a su lado vigilándolo. Un bebé acostado tranquilamente sobre la mesa para cambiarlo o en el sofá puede darse la vuelta de un momento a otro y caerse.
- Un bebé sentado en una silla sobre una mesa puede moverse hasta que la silla se cae.
- Registre la casa en cuatro patas... y prepárela bien para la siguiente etapa.

Seis a nueve meses

La curiosidad es crucial, pero los futuros exploradores requieren un cuidado especial.

Los gemelos (trillizos, cuatrillizos, etcétera) descubren rápidamente cualquier amenaza desatendida. Ponga lejos de su alcance todos los objetos que puedan romperse, los productos de limpieza y las plantas. Cubra todas las tomas de corriente y guarde los cables sueltos. Revise el suelo constantemente en busca de objetos pequeños y "comibles".

Nunca deje solo a un bebé, ni siquiera por un instante, cuando sus movimientos están restringidos por ciertos equipos como los caminadores o los centros de juego. Los caminadores están especialmente asociados con un elevado número de accidentes y visitas a las salas de urgencias.

Nunca deje a un niño solo en la bañera. Mientras está distraída con otro, secándolo por ejemplo, si alguno se queda solo en la bañera podría abrir el agua caliente, resbalarse y caerse, o ahogarse en apenas dos centímetros y medio de agua.

De nueve a quince meses

Cuando los bebés empiezan a caminar y a interesarse más el uno por el otro, aparecen nuevos retos para la seguridad. Juntos, los bebés pueden hacer más travesuras que uno solo.

Utilice puertas de seguridad para mantener a los bebés *dentro* o *fuera* de ciertas áreas. Ponga puertas en la parte de abajo y de arriba de las escaleras, pero deje algunos escalones libres para que los bebés practiquen.

- Mantenga cerrada la puerta del sótano.
- Cuando los bebés están en la cocina, utilice pestillos de seguridad en todos los cajones y armarios, y deje un cajón "para jugar". *Nunca* deje a un niño en la cocina sin supervisión de un adulto. Utilice puertas para que no puedan entrar cuando no estén los padres.

Los baños también deben ser zonas prohibidas. Los inodoros atraen como imanes a los bebés; no sólo echan cosas al inodoro sino que pueden caerse de cabeza dentro de ellos y ahogarse.

- Utilice correas de pecho para los escaladores que quieren salirse del coche, las sillas para comer y los carritos de la compra. Es más difícil salirse de una correa que se abrocha en la espalda, incluso con la ayuda de un hermano.

- Los zapatos que tienen suelas pesadas y gruesas suelen ser un gasto innecesario y además pueden convertirse en armas para pegarles a los otros. Los zapatos deportivos, flexibles y con suelas delgadas son más seguros y además protegen los pies de los pequeños caminadores.

Amenazas especiales

Ciertas situaciones son más peligrosas que otras porque los padres no se dan cuenta de los riesgos potenciales que pueden ocasionar accidentes.

- Los hermanos mayores suelen dejar las puertas entreabiertas y así dejan objetos "apetitosos" en el terreno de exploración de los bebés.

- Las niñeras no se imaginan el efecto que puede tener la distracción ocasionada por varios bebés, por tanto, sería conveniente pensar en contratar más niñeras y que cada una se encargue de uno o dos.

- Las carteras y las maletas de los visitantes suelen contener medicamentos, fósforos y otros objetos peligrosos.

- Las piscinas ejercen una atracción muy especial en los bebés, y es imposible volverlas seguras y a prueba de niños, ni siquiera cubriéndolas, por tanto, es indispensable que estén rodeadas por una cerca y que la reja de entrada tenga seguro.

- Cuando ya caminan y van al preescolar, aparecen nuevos peligros (ver apartados 41 y 44).
- El entorno de sus bebés está donde quiera que ellos estén, por tanto, si están lejos de su hogar, registre y asegure el nuevo entorno. No permita que nadie se burle o menosprecie sus esfuerzos. En casa de personas mayores, esté muy atento a los medicamentos.
- Hay servicios especiales para evaluar las casas en busca de amenazas y para recomendar qué debe hacer.

Los accidentes

A pesar de todos sus esfuerzos, alguno o varios de los bebés pueden sufrir un accidente. Es importante estar preparado.

- Tome un curso de primeros auxilios y de reanimación cardiopulmonar de bebés y niños.
- Anote el número del hospital y la sala de urgencias en algún lugar cercano al teléfono.
- Tenga a la mano jarabe de ipecacuana (para provocar el vómito tras consumir un producto tóxico), pero hable con el médico antes de utilizarlo. Provocar el vómito a veces puede ocasionar daños adicionales.
- Repase las instrucciones de seguridad con todas las personas que cuiden a sus hijos.

Como todos los niños, sus hijos necesitan explorar el entorno. Esto implica un mayor reto para usted, que debe seguirles la pista a dos o más bebés. Si desea evitar una situación que puede terminar en las palabras: "Si tan sólo hubiera...", no hay nada mejor que un entorno seguro para los niños.

40 Cuando ya caminan: de 15 a 36 meses

No hay nada igual a redescubrir el mundo a través de los ojos de un niño que empieza a caminar... ¡excepto descubrirlo a través de los ojos de dos o más! A veces, esto puede dejar a los padres sin aliento. Cuando los bebés empiezan a caminar suelen crear situaciones que se convierten en experiencias únicas de la crianza, al dirigirse en varias direcciones al mismo tiempo y desarrollar su relación de hermanos a toda velocidad.

El desarrollo de los bebés que caminan

El desarrollo motor. Cuando empiezan a caminar, los bebés progresan mucho en el desarrollo de la motricidad fina y gruesa, pero es posible que cada uno progrese más en un área determinada. A veces, los padres se preocupan si uno de los bebés se concentra más en las habilidades de la motricidad gruesa, como correr y escalar, y otro se concentra en las habilidades de la motricidad fina, como la construcción con bloques de madera. En todo caso, si parece que alguno se está quedando realmente atrás en cualquiera de estos dos aspectos, comuníqueselo al pediatra. Los gemelos (trillizos, cuatrillizos, etcétera) tienen más riesgos de presentar retrasos en el desarrollo, sobre todo si fueron muy prematuros o nacieron con muy bajo peso.

Socialización. Al convivir con otros niños de su misma edad, sus hijos operan en un entorno distinto al de la mayoría de los bebés. A diferencia de estos bebés, que tienden a jugar junto a los otros pero que interactúan muy poco, lo que se conoce como "juego paralelo", los gemelos (trillizos, cuatrillizos, etcétera) interactúan muchísimo. Sin embargo, su estilo de interacción puede parecer un poco primitivo. Por esta razón, los padres suelen decir que sus hijos están "besándose o matándose" al verlos interactuar. Esto se refuerza o se minimiza dependiendo del nivel de actividad y de la orientación de la motricidad de cada uno.

- Los gemelos (trillizos, cuatrillizos, etcétera) aprenden a compartir antes que los otros niños. Pero claro, después de unos minutos de compartir es posible que peleen por el objeto en cuestión.
- En esta época, los gemelos (trillizos, cuatrillizos, etcétera) empiezan a cuidarse entre sí. Con frecuencia, uno se asegurará de que el otro (o los otros) también tenga(n) un dulce antes de disfrutar el suyo. Asimismo, es posible que peleen entre sí, pero si alguien más molesta a alguno, tendrá que vérselas con todos.
- Si los padres tienen que castigar a alguno por lastimar a otro, la "víctima" suele angustiarse más que el "agresor".
- La envidia, una emoción que no suele aparecer sino hasta la edad de preescolar, puede aparecer antes entre los hermanos gemelos (trillizos, cuatrillizos, etcétera). Todos quieren lo mismo al mismo tiempo, incluso cuando hay varios objetos iguales disponibles para que cada uno tenga el suyo.
- Es posible que los celos y la envidia incentiven la competencia. Cuando empiezan a caminar compi-

ten por los juguetes, por las actividades y sobre todo por la atención *de sus padres*. Esto puede llevar a los niños a exigirles, individualmente, la misma cantidad de tiempo y atención.

• Los niños tienden a jugar en parejas. En el caso de los trillizos y los quintillizos esto puede implicar que alguno se queda por fuera; en algunos casos siempre es el mismo y en otros se rotan.

Desarrollo del lenguaje. Además de los aspectos típicos del desarrollo del lenguaje, la mayoría de los padres tienen preguntas relacionadas con el hecho especial de que sus hijos son gemelos, trillizos, cuatrillizos o más.

Las investigaciones indican que el retraso en el lenguaje es un poco más común en el caso de los gemelos. El nacimiento prematuro y una menor estimulación por parte de los padres son factores que pueden influir; y, por supuesto, éstos aumentan si el número de bebés es mayor. Además, ellos oyen las palabras mal pronunciadas por sus hermanos que también están aprendiendo. Celebre los esfuerzos de cada uno por hablar, formúleles preguntas que estimulen una respuesta verbal y refuerce o repita correctamente las palabras y las frases que dicen.

Cuando alguno de los hermanos es más hábil verbalmente o más extrovertido, éste suele asumir el rol del portavoz. Pero como cada uno debe aprender a comunicarse con palabras, y puesto que para lograrlo hay que practicar, preste atención para evitar que esto suceda. Por ejemplo, si alguno responde por el otro, usted le puede decir: "Gracias (nombre del portavoz), pero le estaba preguntando a (nombre del silencioso)". Después, haga contacto visual con el niño silencioso y repítale la pregunta.

La idioglosia es el desarrollo de un idioma especial entre los hermanos. Aunque muchos niños tienden a inventar y compartir ciertas palabras para nombrar ciertos objetos o actividades, pocos crean un idioma completo. En la mayoría de los casos de verdadera idioglosia, los niños pasaban mucho tiempo solos entre sí y tuvieron poca estimulación e interacción con los padres.

La individualidad de los gemelos trillizos o más...

Cuando los bebés ya caminan, a la mayoría de los padres les parece más fácil pensar en sus gemelos (trillizos, cuatrillizos, etcétera) como individuos. Ahora están más sintonizados tanto con las diferencias como con las similitudes. Sin embargo, la dinámica del grupo sigue teniendo mucho impacto en la crianza.

• Dejar que cada uno tome decisiones sencillas realza el sentido de individualidad de cada niño (ver apartado 42).

• Ya no le parecerá "correcto" vestirlos a todos igual, pero muchos padres se sienten forzados a seguir haciéndolo. Para evitarlo, compre ropa que combine y después deje que los niños escojan qué ponerse.

• Cada niño es incomparable. A medida que los padres pueden diferenciarlos, las *comparaciones* para distinguirlos deben desaparecer. Las comparaciones llevan muy fácilmente a las *clasificaciones*, sobre todo si alguno es más fácil de manejar que el otro (o los otros). Además, puede que aún sean pequeños, pero tienen oídos grandes y ahora pueden entender cualquier comparación que oigan.

- "Mío" es la palabra favorita de cualquier niño que empieza a caminar, porque está empezando a comprender que es una persona aparte; por tanto, cada uno debería ser dueño de alguna ropa y algunos juguetes que sean sólo suyos. Si los objetos son los mismos puede marcarlos con las iniciales de cada uno, pero ellos suelen aprender a reconocer sus cosas rápidamente.

- Todos desearán tener unas cuantas posesiones "mías", pero si los objetos son los mismos, muchos querrán que sean exactamente iguales. Por ejemplo, los padres se pueden pasar horas buscando triciclos de diferentes colores, para que después los niños se peleen por el mismo.

- Ahora puede ser difícil encontrar la oportunidad de pasar un rato a solas con cada uno de los niños. Siempre que uno esté despierto, ninguno dejará que otro se quede a solas con usted.

- Muchos gemelos (trillizos, cuatrillizos, etcétera) se niegan a separarse aunque sea por poco tiempo. Los niños que están empezando a caminar no pueden entender el concepto de hacer turnos para salir con alguno de sus padres. Si son más de tres, uno de los padres puede salir con alguno porque los que se quedan en casa se acompañarán entre sí.

- Evite preocuparse demasiado por las expresiones de dominio o pasividad entre los hermanos. Hay distintos tipos de dominio; alguno puede ser dominante físicamente y el otro puede ser dominante mentalmente, a veces hasta intercambian los roles. Hacerse pasar por pasivo puede ser sencillamente una expresión de una naturaleza tranquila, más que la marca de alguien que se deja llevar por los otros.

- La imitación de ciertos comportamientos puede ser menos frecuente pero puede durar más que en el primer año (ver apartado 21).

- Cuando los gemelos están empezando a caminar y están en la misma longitud de onda es probable que, a partir de su energía combinada, surja una "tercera" personalidad, la personalidad "gemela", de modo que los padres notarán que además de cada niño en sí, hay una personalidad compartida (o dos personalidades compartidas).

Las relaciones entre los gemelos trillizos o más...

A partir de este momento, sus hijos invertirán mucha energía en el desarrollo de su relación. La interacción entre dos, ya sean gemelos, o dos parejas si son cuatrillizos, forma la base de su relación. Ellos desarrollan esa relación al cooperar, competir, compartir y pelear. Los padres no siempre estarán de acuerdo con sus métodos, y no tienen por qué estarlo, pero los niños tienen derecho a desarrollar su propia relación, y es algo que tienen que hacer por sí mismos.

41 | Energía combinada

Es probable que todos sus hijos ya estén en pie y corriendo, pero no todos se mueven con la misma velocidad. El hecho de que atraviesen este período "caminando" o "corriendo" dependerá del nivel de actividad inherente a cada uno y de la orientación de su motricidad, y de cómo la energía de cada uno se combine con la del otro (o los otros). Por lo general, esta combinación de niveles individuales de energía influye en la experiencia que los padres tienen de esta etapa.

El que "camina" es un niño que observa y permite que los demás le muestren el mundo. El que "trota" se mueve más rápido y explora todo lo que está a su alcance. El que "corre" está constantemente en movimiento, de arriba para abajo, alrededor y por todas partes, por la pura emoción o en busca del objeto que atrae su atención. Un gemelo (trillizo, cuatrillizo, etcétera) poseído por un nivel mayor de actividad suele influir en otro que se mueve a un ritmo más suave, y juntos, su ritmo será más veloz de todos modos.

Es más común que estos bebés tengan niveles de actividad parecidos cuando son idénticos, pues el nivel de actividad tiene un componente genético. Cuando son de distintos sexos, los niveles de actividad tienden a ser diferentes.

Los distintos ritmos

Cuanto mayor sea el nivel de actividad combinada, mayor será el reto para los padres que buscan mantenerse a la delantera. Si sus hijos "trotan" o "corren", es posible que los padres crean que son hiperactivos, pero por lo general es la combinación de los niveles de energía lo que los hace más difíciles de manejar. Para detectar si son hiperactivos, fíjese en cómo actúan cuando están solos y si son más manejables.

Si dos o más de sus hijos "corren", tendrá que incrementar drásticamente la seguridad a prueba de niños. Por su parte, los padres de los niños que "caminan" tendrán que estar alerta y no confiarse demasiado; todos los niños corren riesgos, incluso los que no suelen andar buscándolos.

La seguridad en un hogar múltiple

Cuando los gemelos (trillizos, cuatrillizos, etcétera) se ingenian estrategias que pocos se podrían imaginar, los padres descubren que aquello de que "dos cabezas *son* mejor que una" es engañoso. No hay nada que unos gemelos que trotan o corren dejen de hacer al trabajar en equipo. Juntos pueden cargar una silla para escalar en busca de algo que no está a su alcance, o utilizar los cajones como escalones. Los hermanos se enseñan trucos nuevos todo el tiempo, y después cualquiera puede usar esos trucos al estar separados. Las siguientes sugerencias para un hogar "a prueba de niños" se pueden combinar con las señaladas en el apartado 39:

- Ponga en un lugar aun más alto los artículos domésticos que quitó anteriormente, o guárdelos en un espacio al que no puedan llegar los niños.
- Los aparatos eléctricos de la cocina son especialmente peligrosos. Una opción es ponerle tapas a las hor-

nillas y utilizar cuerdas especiales para mantener cerrados el horno y la nevera, o incluso ponerle un candado a la nevera.

- Guarde los cuchillos, las tijeras y los fósforos y demás objetos peligrosos en un lugar con candado. Haga lo mismo con las medicinas y las vitaminas.

- Lo mejor es quitar o guardar los muebles que impliquen riesgos potenciales, por ejemplo, los que tienen puntas o bordes afilados y los que pueden ser utilizados para escalar, como las sillas que no pesan; algunos padres utilizan sillas plegables que abren a la hora de comer y después las suben sobre la mesa para que queden fuera del alcance de los niños.

- Cuando un niño aprende a salirse de la cuna, rápidamente le(s) enseña esta nueva habilidad al otro (a los otros). Poner un colchón firme en el suelo puede ser una opción más segura para todos, o instalar toldos de malla por encima de las cunas; en este caso, la malla debe estar a una altura que le permita estar de pie al niño, y debe ser removida si le causa angustia.

- Si los niños se trepan por todas partes, sacan las cosas de los cajones y descuelgan las cortinas, su habitación debe estar libre de muebles y cosas en las paredes y las ventanas; lo único que en realidad necesitan es una cuna o un colchón. Ponga una reja en la puerta (hay rejas especiales para niños). En ocasiones, los gemelos (trillizos, etcétera) han hecho torres de almohadas para brincar las rejas. Algunos padres separan a los niños en distintas habitaciones, pero no siempre es posible hacer esto. Además, muchos niños duermen mejor cuando están juntos.

- Revise que las ventanas cierren bien y cuánto pueden abrirse. Para que no intenten escalar hacia las ventanas, asegúrese de que la cuna o la cama esté lejos.

- Instale pestillos en las puertas de las demás habitaciones y de los baños para que los niños no entren cuando los padres no están presentes. Estos pestillos deben estar a una altura que los niños no alcancen.

- Asegúrese de que las salidas hacia los balcones y las terrazas están bien cerradas y de que los niños no puedan escalar esas salidas ni intentar abrir los seguros.

- Revise y adecue el patio de juegos y el garaje. Guarde siempre los utensilios y los equipos de jardinería, además de los materiales venenosos (como los pesticidas) después de utilizarlos. Si hay fuentes o piscinas, ponga una cerca alta alrededor y un candado o un seguro en la reja de entrada.

- Si pone una cerca alrededor del patio, asegúrese de que los materiales y la altura sean los adecuados; por lo general, los padres no instalan una reja de entrada exterior para que los niños sólo puedan acceder a esta zona desde la casa.

- Prepárese: los niños saldrán corriendo al patio en todas las direcciones, o uno saldrá corriendo mientras otro se queda contemplando las hojas que están en el suelo. Por esta razón, supervisar a dos o más niños que juegan en el patio es más difícil si no están limitados por una cerca, o sentados en un coche.

- Las sillas para el auto no son opcionales. Al viajar en auto, todos los niños, de todas las edades, deben estar bien abrochados para protegerlos de cualquier accidente y minimizar las distracciones del conductor. Si alguno de los niños se quita el cinturón o se sale de la silla, oríllese, deténgase y vuelva a sentarlo y abrocharlo. Repita esta acción hasta que el niño aprenda que el auto no se pone en marcha hasta que todos los cinturones están abrochados. Si no actúa de inmediato, el que ya ha aprendido le(s) enseñará al otro (a los otros) cómo desabrocharse.

Juegos para desviar la energía

Un entretenimiento que redirija la energía de los niños suele ayudar a difuminar comportamientos traviesos o potencialmente peligrosos. Sin embargo, ¡no todos los juguetes son a "prueba de gemelos (trillizos, cuatrillizos, etcétera)"! Ellos suelen descubrir formas nuevas y creativas de utilizar sus juguetes, de modo que un juguete perfecto para un solo niño se vuelve inseguro en manos de dos o más. Además, algunos juguetes no pueden soportar el uso constante y parejo de varios dueños. Tenga en cuenta lo siguiente al comprar los juguetes:

- *Cualquier* juguete, o sus piezas, puede convertirse en un arma no intencionada cuando los niños lo usan para lanzárselo a otro(s) o para pegarle(s). Para reducir los riesgos, revise que los juguetes no sean pesados ni tengan puntas o bordes afilados.
- Debido a que los gemelos (trillizos, cuatrillizos, etcétera) activos tienden a ser más "duros" con los juguetes, durarán muy poco si son de mala calidad. Asimismo, si tienen muchas piezas será imposible mantenerlos completos.
- Los juguetes que estimulan el desarrollo de la motricidad gruesa son los favoritos de los niños más activos, por tanto, unos equipos de gimnasia *duraderos*

son una inversión excelente. ¡Un balancín para usar por dentro y por fuera de la casa debe haber sido diseñado pensando en unos gemelos!

- Por lo general, a todos los niños les encanta(n):
  1. Una caja grande de cartón.
  2. Juegos con agua, supervisados (por dentro y por fuera de la casa).
  3. Bloques (los de goma son más seguros).
  4. Juguetes para empujar y arrastrar.
  5. Bloques para ensartar y mover a través de un alambre grueso encajado sobre una base de madera.
- *Usted* sigue siendo el mejor juguete. Échese al suelo y déjelos arrastrarse y gatear encima de usted como si fuera una jungla humana. Léales todos los días, y deje que ellos escojan las historias.

¡Yo tengo una mejor!

No hay historias más divertidas y graciosas que las de los padres que cuentan las payasadas de sus gemelos (trillizos, cuatrillizos, etcétera). Así que no se sorprenda si se convierte en un gran contador de historias al reunirse con otros padres. ¿Quién sabe? Quizá tenga en manos una obra de teatro que puede montar… ¡cuando los niños hayan entrado en la etapa más suave del preescolar, por supuesto!

42 | Disciplina

Disciplinar significa guiar. Cuando los padres disciplinan a un niño, lo guían hacia el tipo de comportamiento que se considera aceptable dentro de una sociedad. La interacción entre los gemelos (trillizos, cuatrillizos, etcétera) genera comportamientos únicos que hacen más difícil proporcionar esa guía necesaria. A diferencia de los otros niños, ellos suelen estar más interesados en complacerse entre sí que en complacer a mamá o a papá. Después de todo, un hermano de la misma edad siempre tiene ideas más emocionantes que los padres acerca del comportamiento "divertido".

¡No!

Los gemelos (trillizos, cuatrillizos, etcétera) suelen oír la palabra "no" muchas más veces que los otros niños. Cada uno oye el "no" dirigido a él, los dirigidos a cada uno de sus hermanos, los pronunciados como respuesta a las travesuras que hacen juntos y los "no" extra por todas las estrategias que sólo ellos pueden ingeniarse y llevar a cabo. Los padres pueden evitar decir "no" con tanta frecuencia si:

- Tienen expectativas realistas frente al comportamiento de sus hijos que ya caminan; expectativas que no sólo son realistas para la edad y la etapa de desarrollo sino que además tienen en cuenta el estilo de comportamiento de cada uno.

- Adecuan bien la casa a prueba de niños para reducir la posibilidad de que se produzcan situaciones peligrosas (ver apartados 39 y 40).
- Están alerta y aprenden a prever las necesidades de comida y sueño de cada uno; el comportamiento negativo suele estar relacionado con un exceso de hambre o cansancio.
- Disminuyen la necesidad que tienen algunos niños de llamar la atención de sus padres con un mal comportamiento; esto se logra dándoles a todos muchos besos y abrazos y celebrando el comportamiento positivo, como compartir un juguete o cooperar en un juego aprobado por los padres. Si uno de los niños es más difícil de manejar, necesitará que los padres le refuercen y confirmen constantemente cuáles son los comportamientos positivos.
- No les cuenta a otras personas las locuras de sus hijos cuando hay una mínima posibilidad de que ellos oigan, pues esto sólo los estimula a seguir haciendo más travesuras.

Las peleas

Las peleas entre los gemelos (trillizos, cuatrillizos, etcétera) es algo común, pero no suelen ser justos porque son demasiado jóvenes para entender que pueden lastimar al otro al pegarle o empujarlo. Muchos padres han tenido que lidiar con niños que muerden a sus hermanos cuando se sienten frustrados.

Evite intervenir de inmediato cuando los niños pelean, a no ser que alguno corra un peligro inminente. Observe a distancia; hay muchas razones por las que esto es más adecuado:

- En ocasiones, los padres descubren que la aparente "víctima" instiga muchas de las peleas al molestar voluntariamente al otro hasta que éste ataca.
- Al intervenir, los padres pueden terminar tomando partido injustamente. Por lo general, los padres no ven el comienzo de la pelea y por eso no pueden saber qué o quién la desencadenó.
- Debido a la atención generada, es posible que la intervención inmediata haga que las peleas aumenten en lugar de reducirlas. La cantidad de peleas suele disminuir cuando los padres parecen no hacerles caso.
- Hay muchas maneras de "ganar" una pelea. No todas las supuestas "víctimas" hacen las paces con un hermano más agresivo quitándose de su camino o dejándole el juguete por un rato.
- Si los padres siempre "rescatan" a la víctima, los niños no aprenden a resolver los conflictos. En última instancia, ellos deben desarrollar sus propias "reglas" para guiar sus relaciones entre sí, y a veces pelear es parte de la creación de las reglas (vea la sección sobre las relaciones entre gemelos, trillizos, o más, en el apartado 40).

No salir al rescate de inmediato no quiere decir permitir comportamientos inadecuados, o dejar de intervenir si la pelea se intensifica y alguno de los niños corre peligro de lastimarse. Cuando es necesario intervenir, ciertas acciones suelen ser más efectivas.

- Aislar al "agresor" de la "víctima" durante unos minutos parece ser la intervención más *efectiva*, pues a ellos no les gusta estar separados (a esta edad, unos minutos es suficiente; a medida que crecen se puede prolongar el tiempo de separación).

- El castigo físico suele ser el método *menos efectivo* para manejar un comportamiento agresivo. Un niño pequeño no puede distinguir entre que le digan "No le pegues o no muerdas a tu hermano", o que le peguen o lo muerdan en respuesta por esas mismas acciones. Esta estrategia sólo refuerza el comportamiento que los padres desean controlar. Además les da la impresión a los niños de que el hermano que es más grande y más fuerte puede intimidar al más pequeño o más débil.

- Nombre con palabras *sencillas* el comportamiento inadecuado y el sentimiento que suele acompañar a ese comportamiento y después sugiera alternativas. Por ejemplo: "Parece que estás furioso con tu hermano, y cuando uno está furioso puede sentir ganas de pegarle al otro, pero es mejor pegarle a la bolsa de boxeo que a un persona". (¡Es muy probable que los padres tengan que repetir esta estrategia muchas veces y con variaciones a medida que los niños crecen!)

- Cuando un juguete es el centro de la pelea, concédale al dueño del juguete la autoridad para decidir si el otro puede jugar o no. Eso suele proporcionarles a los padres la oportunidad de hablarles a los niños sobre la importancia de compartir. Cuando el juguete es de todos y los dueños no logran turnárselo, hay que mandar al juguete a pasar un rato en la repisa. Repita esta estrategia si las peleas reinciden, o guarde el juguete por el resto del día si sigue generando problemas.

Otras cuestiones disciplinarias

Las estrategias disciplinarias que funcionan bien con un solo niño, tales como desviar la atención y cambiar un juguete por otro, pueden no tener efecto al tratarse de gemelos (trillizos, cuatrillizos, etcétera) o convertirse en la causa de más travesuras y discusiones.

Muchas veces, los padres no saben si uno solo o todos participaron en la travesura, y cuando preguntan quiénes fueron, cada uno señala al otro y dice: "Fue él". Los hermanos aprenden rápidamente a separarse y a correr en direcciones opuestas, ya saben que sus padres no pueden correr detrás de todos a la vez. Algunos métodos parecen funcionar mejor que otros:

- La tradicional estrategia de mandar al niño a pasar un rato en una silla cercana puede no dar resultado cuando uno de los hermanos entretiene al que está en la silla; a veces, lo mejor es poner la silla mirando hacia la pared o mandar al niño a su habitación. Cinco minutos, o menos, es suficiente para los niños de esta edad.

- Para castigarlos a todos es importante estar seguro de que todos participaron en la travesura. El castigo colectivo es injusto para el niño que sólo "estuvo ahí". Si no sabe muy bien quiénes fueron, nombre el comportamiento inadecuado y sugiera alternativas. Sin embargo, si los padres ven que todos están participando, todos deben compartir las mismas consecuencias, incluso si es necesario perseguirlos uno por uno.

- Dejar que cada niño tome ciertas decisiones suele ayudar a reducir el comportamiento inadecuado y calmar situaciones inestables, ¡pero los padres deben estar de acuerdo con todas las opciones!

1. Para que las decisiones sean sencillas, limítelas a dos posibilidades: "¿Quieres ponerte un vestido o un pantalón?", "¿Vas a desayunar huevos o cereal?". En cuanto el niño haya tomado una decisión, no admita cambios de opinión. Esto suele suceder cuando cada uno escoge una opción diferente, pero todos deben aprender a vivir las consecuencias de tomar una decisión.

2. A veces, el deseo de alguno de los niños entra en conflicto con lo que hay que hacer. En este caso, la decisión debe concentrarse en el "cómo" más que en el "qué": "¿Quieres sentarte en tu silla tú solito, o quieres que yo te ayude?", "¿Puedes compartir los bloques, o los guardamos un rato en la repisa?"

3. Cuando alguno de los niños se niegue a escoger, repítale las opciones y dígale que si no se decide en un tiempo determinado, usted tomará la decisión. Si el niño insiste en negarse, es importante que usted cumpla con lo dicho y tome una decisión. Aprender que negarse a tomar una decisión también es una opción, es una lección muy valiosa.

El comportamiento de sus hijos no mejorará si los amenaza con castigos poco realistas que no se pueden cumplir. Además, los castigos que no son realistas son injustos. No cumplir un castigo estimula a los niños a romper las reglas y les enseña que usted en realidad no dice las cosas en serio.

La importancia de los padres

Unos gemelos (trillizos, cuatrillizos, etcétera) activos e inteligentes vuelven locos a sus padres hasta que éstos se rinden y los dejan salirse con la suya. Cuando esto sucede, nadie "gana" (todos pierden una oportunidad. Si esto sucede, vuelva a empezar más tarde o al día siguiente).

Los niños pequeños tienen derecho a una disciplina consistente, así estarán seguros y aprenderán a portarse adecuadamente; ellos necesitan la guía de sus padres. Enseñarles a unos pequeños gemelos (trillizos, cuatrillizos, etcétera) requiere una mayor inversión de tiempo y energía de los padres. Por fortuna, o por desgracia para aquellos que se rinden o ceden con mucha frecuencia, los padres se dan cuenta de que pueden seguir utilizando hasta la adolescencia de sus hijos las mismas estrategias básicas desarrolladas en esta etapa.

43 | ¡Adiós a los pañales!

¿Qué padres de gemelos (trillizos, cuatrillizos, etcétera) no desean despedirse de las montañas de pañales? Puede parecer tentador, pero tratar de agilizar el entrenamiento para ir al baño suele tener el efecto contrario; esto prolonga el proceso y les causa frustración tanto a los padres como a los hijos. Enseñarle a cada uno a ir al baño es un proceso fácil y rápido si *ya están listos*.

¿Listos?

Ningún niño puede controlar bien sus esfínteres antes de los 18 meses, y es posible que no pueda hacerlo sino a los tres años. La preparación mental o el interés no siempre coincide con la preparación física para utilizar el baño, y aunque no lo digan con tantas palabras, los niños les demuestran a sus padres cuándo quieren empezar a usarlo. Es imposible que los padres se equivoquen si dejan que sean los niños quienes guíen este proceso.

Un niño les está diciendo a sus padres que ya es hora de empezar a usar la bacinilla si muestra interés cuando los padres usan el baño, quiere que lo cambien justo después de mojar o ensuciar el pañal, o está seco al despertarse después de las siestas.

Las niñas tienden a estar listas antes que los niños. Los padres que tienen un niño y una niña suelen darse cuenta de que uno deja de usar pañales varios meses antes que el otro.

Con frecuencia, cuando los bebés son idénticos, están listos casi al mismo tiempo. Si son fraternos del mismo sexo pueden seguir itinerarios parecidos o diferentes.

Enseñarles a los gemelos trillizos o más...

Al empezar el entrenamiento, hay ventajas y desventajas entre hacerlo individualmente o por separado. Enseñarle a cada uno por separado puede ser menos confuso pero puede parecer más demorado. Enseñarles a dos o tres al mismo tiempo implica que los padres tendrán que lidiar, por lo menos, con el doble de accidentes, pero el proceso tardará menos. Los padres no siempre pueden tomar esta decisión, pues a veces los niños la toman por ellos.

- Cuando un niño está listo antes que otro, algunos padres deciden esperar hasta que los dos o todos estén listos. De todos modos, es mejor empezar si uno realmente quiere intentarlo *ya*.
- Cuando los hermanos son competitivos, suelen estimularse entre sí. El último en aprender no quiere ver que su hermano puede usar la bacinilla y en cambio él no.
- Sentarse en la bacinilla puede convertirse en una fiesta para todos los niños. Deje las bacinillas en el baño para que la asocien con el lugar. Nunca obligue a un niño a sentarse en la bacinilla cuando indica que no quiere hacerlo. Si se queda sentado en la bacinilla durante diez minutos o más sin hacer nada, no ha entendido aún. Cuando están listos e interesados, la mayoría usan la bacinilla pocos minutos después de haberse sentado.

- A veces, ofrecerles un incentivo los estimula a progresar, pero hágalo con discreción para que los que aún no están listos no se sientan mal. ¡Un incentivo, combinado con la competitividad, puede ser muy motivador!
- Si después de una semana alguno de los niños todavía no entiende o tiene muchos accidentes, pregúntele si le gustaría seguir usando pañales. Relájese y vuelva a intentarlo después de unas semanas o unos meses.

Ayudas y obstáculos

- Los pañales súper-absorbentes parecen funcionar tan bien que los niños no se dan cuenta de que están mojados, o no les molesta. Utilizar unos pañales menos absorbentes durante el día puede ayudar a agilizar el proceso.
- Aunque es posible que los niños que están en edad de preescolar estén ansiosos por utilizar ropa interior con estampado de bailarinas o superhéroes, los calzones de entrenamiento absorben mejor los accidentes. Saber que pronto podrán utilizar la ropa interior de los "niños grandes" suele ser un buen incentivo.
- Los overoles y los pantalones con cremallera o botones son un obstáculo cuando un niño tiene que ir al baño *ya*. Es mejor ponerles vestidos o camisetas y calzones de entrenamiento; cuando empiezan a ir al baño con regularidad, los pantalones con banda elástica son más fáciles de manipular.
- Si empieza el proceso de entrenamiento durante una época de calor, es mejor que los niños estén solamente con una camiseta y sus calzones de entrenamiento.

Las bacinillas

Muchos padres se preguntan si necesitarán una sola bacinilla para todos o una para cada uno. Esto depende de cuántos estén listos al mismo tiempo y de la edad que tengan al empezar el entrenamiento.

• Si parece que dos van a empezar a ir al baño al mismo tiempo, se necesitarán dos bacinillas. Por lo general, dos niños pueden compartir una. Al principio, siéntelos en la bacinilla uno después del otro. Más adelante, lo normal es que no tengan que ir al baño al mismo tiempo.

• Si son pequeños al empezar el entrenamiento, los niños preferirán bacinillas más pequeñas y bajitas.

• Los niños más grandes y en edad de preescolar preferirán la "bacinilla grande"; un taburete de un escalón les ayudará a lograrlo.

• Algunos niños se sienten más cómodos al usar una bacinilla que se ajuste sobre el inodoro de los adultos.

• En cuanto puedan, los niños querrán pararse mirando hacia el inodoro, igual que papá (¡si son niño y niña, la niña querrá imitar a su hermano!).

La clave es una actitud positiva

Aprender a usar el baño es un gran paso, y todos se benefician si los padres están tranquilos. Aunque el entrenamiento con la bacinilla no tarda mucho tiempo cuando los niños están listos, rara vez dura un solo día.

• Esté preparado para que haya accidentes y manéjelos con mucha calma.

- No preste atención a los consejos que no tengan en cuenta las necesidades de los niños. Usted puede mostrarle el baño a un niño, pero no puede obligarlo a usarlo, pues se trata de una función física que cada uno aprende cuando está listo e interesado en hacerlo.
- Si alguno de los niños no está listo, no haga un escándalo. Todos estarán listos en algún momento, ¡de verdad! Mírelo por el lado positivo: los padres de unos "aprendices precoces" tienen que detenerse constantemente en todos los baños por los que pasan al salir de paseo. Todo tiene sus ventajas, ¡incluso tener que seguir cambiando a dos o más bebés!

44 El preescolar: tres años para el kinder

En la edad preescolar, el horizonte de los niños se expande más allá de los hermanos, la familia y el hogar. Ahora hacen parte de una comunidad más grande, empiezan a conocer nuevos amigos y, posiblemente, empiezan a ir al colegio.

Crecimiento y desarrollo

En esta época, las habilidades intelectuales o cognitivas de sus hijos progresarán muchísimo. Aunque el nivel básico de actividad no cambia, experimentarán nuevas corrientes de energía.

- "Hagamos como si…" suele convertirse en la frase favorita de los gemelos (trillizos, cuatrillizos, etcétera). Escuche a escondidas sus juegos imaginarios; juntos, sus hijos inventarán escenarios muy especiales.
- A los niños en edad preescolar les gusta hacer las cosas por sí mismos; los gemelos (trillizos, cuatrillizos, etcétera) aprenden a vestirse más rápido porque se ayudan entre sí.
- Ahora, por fin, "turnarse" tiene un significado, y las salidas de los padres con cada uno por separado son una gran ocasión. Organice un sistema para saber cómo van los turnos y, así, evitar discusiones innecesarias y no herir sentimientos.

- Los niños asumen tan bien el significado de los turnos, que empiezan a turnarse en todo: quién se sienta al lado al lado de mamá o de papá, quien aprieta el botón del ascensor, quién elige lo que verán en televisión, etcétera.
- A esta edad, a los niños les fascinan por un tiempo las palabras relacionadas con el baño. En el caso de los gemelos (trillizos, cuatrillizos, etcétera), esta fascinación dura más de lo normal porque se retroalimentan y se ríen a carcajadas, lo que refuerza este comportamiento.
- La energía combinada suele dar lugar a una "personalidad de grupo", y ésta cambia cuando los niños empiezan a pasar más tiempo fuera de casa. Ahora, esta personalidad aparece menos, pero es intensa cuando lo hace. Los padres sentirán cómo se construye esa energía al ver la emoción de sus hijos en ese mundo que es sólo de ellos y de nadie más.
- Con frecuencia, una niña en un grupo de niños asume el rol de "madre" de sus hermanos porque las niñas suelen adelantarse en términos de desarrollo.

La decisión acerca del preescolar y el kinder

Las preocupaciones de los padres de gemelos (trillizos, cuatrillizos, etcétera) son distintas a las de los padres de un solo hijo. Lea la clave 45 para complementar esta sección.

Si está pensando en llevar a sus hijos al preescolar, observe y evalúe diversos programas para encontrar uno que se ajuste a su manera de pensar y a las necesidades de cada uno de sus hijos.

Para poder pasar un tiempo a solas con cada uno, algunos padres mandan a sus hijos al preescolar o al kinder en días separados, o mandan a unos en el horario de la mañana y a los otros por la tarde. La mayoría de los padres los mandan a todos al tiempo y así disfrutan unas horas los dos solos, ¡por fin!

A veces, y sobre todo cuando son competitivos, los gemelos (trillizos, cuatrillizos, etcétera) trabajan mejor con otras personas que no sean sus padres, pero no es indispensable que vayan al preescolar. Otra opción puede ser, por ejemplo, formar un grupo con otros padres.

Los nuevos amigos

Aunque el juego "de verdad" no es una novedad para sus hijos, sí lo es para la mayoría de los niños que conocerán. Para conocer nuevos amigos, sus hijos aplicarán las estrategias que han aprendido con sus hermanos, y las nuevas amistades, a su vez, afectarán la relación entre ellos.

- Es posible que el preescolar no les ofrezca suficientes experiencias con otros niños, de modo que invite niños a su casa.
- Los juegos de los niños parecen funcionar mejor cuando son números pares, pues ellos suelen organizarse en parejas.
- A veces, los gemelos (trillizos, cuatrillizos, etcétera) no le prestan atención a un nuevo compañero de juegos, pero también puede pasar que alguno de ellos sea excluido del nuevo grupo. Esto puede ser un golpe muy duro para un niño que siempre ha formado parte de un equipo.

- Estos hermanos están tan sintonizados entre sí, que quizá les sorprenda que los otros niños no respondan de la manera "correcta" (que es como responderían sus hermanos).

- Algunos niños se sienten abrumados ante los gemelos (trillizos, cuatrillizos, etcétera) y juegan sólo con uno; esto pasa sobre todo cuando se visten iguales y se dirigen a las otras personas siempre juntos, como una unidad. Sin embargo, a muchos niños les llaman la atención los gemelos, los trillizos y demás.

- La mayoría de los niños pueden distinguir rápidamente si son idénticos o muy parecidos, incluso cuando a muchos adultos les cuesta trabajo.

Los juguetes

Es más difícil comprar juguetes para un grupo de niños de la misma edad que para uno solo.

Por lo general, todos quieren los mismos juguetes. A veces, cada uno pide algo distinto, pero después se molestan si uno no tiene lo mismo que el otro. Si esto se convierte en un patrón predecible, hable con los niños primero y cómpreles lo mismo a todos si es lo más adecuado. Esto cambiará con el tiempo.

Lo mejor es que no tengan que compartir juguetes como las bicicletas o las muñecas. También es recomendable que cada uno tenga unos libros, rompecabezas o bloques de goma para construir que sean sólo suyos.

Los juguetes grandes son fáciles de compartir, por ejemplo, cajas de arena, mesas de juego, una piscina pequeña, una cocinita, un equipo de gimnasia, una casa de muñecas, una pista de carreras o un juego grande de bloques.

La seguridad en el preescolar

Aunque ya van al preescolar, todavía es importante supervisar la interacción de los gemelos (trillizos, cuatrillizos, etcétera).

- Si son nerviosos necesitan más supervisión, pues suelen descontrolarse y esto puede ocasionar situaciones peligrosas.
- A esta edad, los niños mezclan la fantasía y la realidad de maneras peligrosas; es probable que combinen los utensilios de cocina de juguete con los de verdad (los palos y otros objetos se convierten rápidamente en espadas o termómetros).
- También es probable que se estimulen unos a otros para recolectar sustancias peligrosas y experimentar con fósforos.
- Supervíselos cuando estén haciendo manualidades, de lo contrario, es posible que sus obras se extiendan por las paredes, el piso y demás superficies.
- Si son muy activos, trate de mantenerlos cerca de usted, utilizando manijas que se amarran a la cintura cuando salga con todos.

Usted y sus hijos

A medida que cada uno empieza a tener más amigos y nuevas actividades por fuera de la casa, su relación con ellos cambia. Ahora tiene más tiempo para estar con cada uno a solas.

Usted sigue siendo el mejor juguete para el desarrollo de sus hijos; sintonícese con el estilo de aprendizaje de cada uno y aproveche las oportunidades para fomentar el desarrollo individual.

Ya es hora de dejar de vestirlos iguales todos los días. Cada uno debe poder escoger qué ropa ponerse. Incluso en esta etapa, cuando los armarios todavía están llenos de la misma ropa, los gemelos (trillizos, cuatrillizos, etcétera) suelen expresar su individualidad y escogen ropa distinta. A otros les encanta vestirse igual.

Al principio, es desolador que uno de los niños sea rechazado por un grupo de amigos. ¿Qué deben hacer los padres? Puede ser bueno que cada uno esté solo por un tiempo, así como es bueno que cada uno juegue con otro niño. Si usted se lo toma con tranquilidad, los niños podrán aceptar la situación más fácilmente.

Primero, dedíquele un tiempo a solas al niño para tranquilizarlo. Los niños suelen cambiar sus preferencias con mucha frecuencia y jugar unos días con unos para después jugar con otros a la semana siguiente.

El período de recompensa

Durante los años del preescolar, muchos padres sienten que han entrado en un período de recompensa. Aunque surgen nuevas situaciones específicas del mundo de los gemelos (trillizos, cuatrillizos, etcétera), los aspectos más difíciles de la crianza disminuyen y los más placenteros persisten. Es una maravilla ver cómo sus hijos empiezan a hacerse grandes, juntos y separados.

45 El colegio: ¿juntos o separados?

Para tomar esta decisión, los padres deben basarse en sus hijos, pues ellos los conocen y entienden mejor que nadie. No es una decisión para toda la vida. La relación entre los hermanos y sus necesidades en el salón de clase suelen cambiar año tras año, y los padres deben responder a las necesidades de cada uno de sus hijos al tener en cuenta su relación, sus estilos de aprendizaje y el conjunto de la clase en general.

Si hay diversas opciones, los niños deben tener la oportunidad de opinar. Hable con cada uno por separado. A veces uno prefiere separarse y otro no. Si son tres o más, probablemente una separación total no será posible, y los padres deberán decidir quién está con quién en la clase y con qué profesor. La decisión final es responsabilidad de los padres.

Preescolar o kinder

El primer día en el preescolar o el kinder marca el momento en que los niños se separan por primera vez de su madre. Pedirles que también se separen entre ellos sería demasiado. Por lo general, los niños se adaptan más fácilmente cuando su mejor amigo está en la misma clase. En el caso de los gemelos (trillizos, cuatrillizos, etcétera), el mejor amigo es uno de sus hermanos (o varios), de modo que separarlos arbitrariamente sería negarles esa seguridad que se les permite a casi todos los miembros de la clase.

Primaria

Tanto los niños como las circunstancias cambian. Revise todos los años las decisiones sobre cómo se reagrupan las clases. Los profesores y las directivas pueden opinar, pero son los padres quienes deben tomar esta decisión. Las políticas arbitrarias de los colegios son poco apropiadas. Se ha comprobado que el rendimiento de los gemelos (trillizos, cuatrillizos, etcétera) puede cambiar al estar juntos o separados. Para tomar esta decisión es indispensable tener en cuenta tanto los distintos estilos de aprendizaje, el grado de competitividad y de independencia entre sí y el conjunto de la clase en general.

La decisión

Evalúe lo siguiente al tomar esta decisión.

Nadie puede forzar a los niños a que sean independientes; a los gemelos (trillizos, cuatrillizos, etcétera) que aún no están listos les cuesta mucho separarse.

En los colegios, las clases suelen estar organizadas según la fecha de nacimiento. Si sus hijos se separan, ¿estarán en una clase con niños mayores o menores?

Hay diversos grados de separación.

1. ¿Cuánto tiempo pasan juntos los niños del kinder con los de primero? En algunos colegios los juntan a la hora de comer, a la hora de la siesta o a la hora de leerles cuentos, de modo que si quedan separados de todas maneras podrán verse con frecuencia.
2. Si los niños están en la misma clase, quizá queden en distintos grupos de trabajo y, por tanto, pasarán poco tiempo juntos.
3. ¿Hay algún salón con niños de una zona geográfica determinada? Si es así, y sus hijos quedan separados,

alguno estará con compañeros conocidos y el otro con extraños.

4. ¿Separarlos significa que uno tiene que ir en el horario de la mañana y el otro en el de la tarde?

Entreviste a los posibles profesores. Si éstos se comunican con usted con frecuencia y se muestran sensibles a sus preocupaciones acerca de la separación, con seguridad le ayudarán a que los niños sean ubicados donde usted lo desea.

Si usted separa a los niños en el kinder, decida también quién queda en cuál clase. Pídales a los profesores que le muestren la lista antes de que empiecen las clases y fíjese qué amigos están en ella.

Incluso si todos prefieren la separación, el reajuste es tremendo. Dele tiempo a cada uno para asimilarlo y procesarlo.

Las normativas escolares

Algunos sistemas escolares tienen reglas arbitrarias acerca de la separación. Por lo general, los que tienen una política definida insisten en la separación porque presuponen que los niños se desarrollarán mejor como individuos y tendrán un mejor rendimiento académico. Pero no hay investigaciones que lo confirmen. Por su parte, las políticas arbitrarias en contra de la separación desconocen la importancia de la individualidad e insisten en que los niños deben permanecer juntos aun cuando estén listos para separarse.

Si tiene problemas con las directivas del colegio, tenga en cuenta lo siguiente:

• Nunca discuta el tema de la separación frente a los niños. Esto les hace ver que los padres están en una situación desfavorable ante las directivas. Cuando todo se haya resuelto, demuéstreles a sus hijos que están de acuerdo con el personal del colegio.

- Exponga su caso fría y claramente. Muéstrese segura de sí misma, pero sin agresividad.
- Pida que le muestren el documento normativo donde conste que la separación es una normativa del colegio. Es poco probable que el director pueda elaborar un documento para respaldar una política de separación. Los directivos suelen sorprenderse al descubrir que lo que ellos creían que era una normativa del colegio es en realidad la manera como "lo hemos hecho siempre".
- Si existe una normativa, pregunte por qué decidieron adoptarla. Con frecuencia la razón es que alguien pensó que sería una buena idea y aprobó la resolución sin pensarlo mucho. Si el director alega que la normativa se basa en pruebas de investigación, pida que le muestren la investigación; si en cambio dice que está basada en "nuestra experiencia", pida que le muestren un documento que compruebe esa experiencia.
- No considere la posibilidad de separar a sus hijos sólo porque parece "más fácil" para los profesores. Se supone que los colegios están pensados para responder a las necesidades de los niños, y no a las de los profesores, y algunos hermanos aprenden mejor cuando están juntos.
- Recuérdeles a los directivos del colegio que la decisión de este año no es irrevocable. Pídales que ubiquen a sus hijos como usted cree que debe ser durante un tiempo. Si esto no funciona, pueden cambiarlos

después. Asimismo, el colegio debe estar dispuesto a cambiarlos si su decisión no funciona.

Las consecuencias

Si los niños parecen estar felices en el colegio, ha tomado la decisión correcta. Confíe en usted misma y en su juicio acerca de qué es lo mejor para sus hijos.

46 Los primeros años escolares

Es durante los primeros años escolares cuando los gemelos (trillizos, cuatrillizos, etcétera) realmente empiezan a explorar su relación. La gente que está por fuera de la familia cada vez influye más en la manera como cada uno ve al otro. Al estar expuestos a nuevas ideas y actividades, hay más oportunidades para que cada uno se exprese individualmente.

Crecimiento y desarrollo

Es posible que los padres adviertan un cambio en la relación de sus hijos a medida que cada uno se hace más consciente de sí mismo como individuo.

Los niños empezarán a interesarse por las actividades extracurriculares, y lo mejor es dejar que cada uno las escoja. A veces querrán ensayar la misma actividad y otras veces querrán hacer algo distinto. El hecho de que sean un grupo no debe influir en la gama de opciones, ¡y no todos tienen que hacer lo mismo porque esto sea más conveniente para los padres!

Otros niños, e incluso los adultos, suelen tener imágenes y expectativas estereotipadas acerca de los gemelos (trillizos, cuatrillizos, etcétera). Si son fraternos, la gente piensa que no van escoger las mismas actividades porque al no ser iguales, o de distinto sexo, no son unos gemelos, trillizos o cuatrillizos "reales". Si son idénticos, en cambio, se supone que tienen que ser iguales, actuar igual y hacer siempre lo mismo. Otros insistirán en clasificarlos: "el inteligente", "la bonita", "la deportista", "el líder". Por primera vez, los niños tendrán que enfrentar situaciones relacionadas con ellos mismos y con los estereotipos sin la intervención de sus padres; y aprenderán a manejarlas, pero sus sugerencias les serán útiles.

A uno o varios les molestará que los llamen por el nombre "incorrecto", aunque la mayoría prefieren esto a que les griten: "Oye, gemelo", o "Mira, tú". Explíqueles que es probable que a las otras personas se les olvide qué nombre va con cuál cara. Adviértales que tendrán que recodarles a esas personas que ellos desean ser llamados por su nombre.

Los niños en edad escolar suelen estar listos para entender explicaciones sencillas sobre cómo los gemelos, los trillizos, los cuatrillizos y demás se desarrollan a partir de uno, dos, tres, cuatro o más óvulos (ver apartado 1). Puede hacer dibujos que le ayuden a describir el proceso. A medida que crecen, las explicaciones pueden hacerse más complejas.

¡Los gemelos, trillizos, cuatrillizos, o más, aprenden a sacarle provecho a su fama sin la ayuda de sus padres!

A esta edad, tienden a amarse y a odiarse profundamente, y a amarse y odiarse al mismo tiempo. Si son niñas, y sobre todo si son idénticas, suelen ser muy apegadas. La relación de amor y odio parece darse más cuando son sólo niños, o tal vez lo que pasa es que sus comportamientos ambivalentes son más notorios.

A veces, es probable que uno o todos digan que desearían no hacer parte de un grupo y quizá se digan "feo", lo que es muy gracioso si son idénticos. Cuando esto sucede, ninguno está rechazando su relación, simplemente desean ser reconocidos como individuos.

Es probable que la competencia aumente cuando los niños empiecen a comparar sus notas, los reportes de los profesores y los logros en las actividades extracurriculares. Puede que a uno le moleste mucho que otro aprenda algo más rápido, ya sea una operación matemática o a montar en bicicleta.

Como sucede con otros aspectos, el tipo de gemelos (idénticos o fraternos) influye en el estilo de aprendizaje. Si son fraternos es más probable que tengan diferentes estilos de aprendizaje, sobre todo cuando son niño y niña. Si son idénticos tienden a tener estilos parecidos. Las diferencias y las similitudes pueden ocasionar comparaciones y competencias, o cooperación (por ejemplo, al estudiar juntos y ayudarse mutuamente).

El colegio

Los gemelos (trillizos, cuatrillizos, etcétera) interactúan en el entorno escolar durante varias horas al día. Además de las clases de lectura y matemáticas, aprenden mucho sobre ellos mismos y sobre los demás.

- Es posible que los profesores también tengan actitudes estereotipadas acerca de los gemelos, los trillizos y demás. A los padres les corresponde ayudarles a los profesores a percibir a sus hijos como individuos. En el comienzo de cada año escolar, hable con ellos sobre las fortalezas y las debilidades de cada uno, así como sobre las diferencias y las similitudes.
- Evalúe el estilo de aprendizaje de cada uno por separado. Todos quieren hacerlo bien y alegrar a sus padres. Si fueron muy prematuros o tuvieron dificultades durante el embarazo y el nacimiento, debe estar un poco más alerta en caso de que presenten proble-

mas de aprendizaje. Los niños tienden a tener más
problemas que las niñas.

- Haga citas separadas para hablar con sus profesores
sobre cada uno, individualmente. Si los niños están
en clases separadas, pregúntele a cada profesor cómo
le va a cada uno en su salón y con los demás niños.
Evite mencionar a su(s) otro(s) hijo(s), a no ser que
pregunte algo específico acerca de su relación.

- Si están en la misma clase, hable primero sobre el
progreso de cada uno, individualmente. Después pregunte cómo se relacionan entre sí a lo largo del día.
Usted necesita saber si uno de los niños prefiere reti-
rarse en lugar de competir con el otro (o los otros), o
si uno responde siempre por el otro (o por todos).
De todos modos, este no debe ser el centro de la conversación, así que retome el hilo principal si usted o
el profesor tiende a hablar del grupo.

- Últimamente, muchos padres piensan en la opción
de educar a sus hijos en casa, y hay muchos grupos
para apoyar a los padres que toman esta decisión.

Los amigos

Durante los primeros años escolares, las relaciones entre pares son la prioridad. A la mayoría de los niños de esta edad les
desagradan las relaciones con los miembros del sexo opuesto.
Y esto, claro, puede tener un impacto muy fuerte si sus hijos
son niño y niña. Algunos se identifican más con compañeros
de su mismo sexo o con un hermano de su mismo sexo. Esto
hace parte del desarrollo de su relación.

A veces, los gemelos (trillizos, cuatrillizos, etcétera) tienen los mismos amigos, u otros distintos. Es usted quien

debe comunicarles a los otros padres si prefiere que les envíen invitaciones conjuntas o separadas para los cumpleaños. Aunque alguno se puede sentir herido en alguna ocasión, ¿usted les permite tener experiencias separadas o insiste en que deben invitarlos a todos o a ninguno? La decisión de los padres acerca de las invitaciones refuerza la unidad o la individualidad. Por lo general, todos reciben una cantidad parecida de invitaciones separadas (ver apartado 44).

Usted y sus hijos

La relación de sus hijos entre sí les pertenece a ellos, y deben desarrollarla por sí mismos. Los padres pueden apoyarlos y estimularlos a medida que ellos exploran sus diferencias y similitudes, pero no pueden hacer el trabajo por ellos. Dígales lo que significa para usted la cooperación y la competencia. Evite hacer comparaciones, resalte las fortalezas de cada uno y ayúdeles a superar sus debilidades. Apártese un poco y deje que cada uno aprenda a manejar las dificultades que surgen entre ellos, con otros hermanos y con sus compañeros. Su mundo se está expandiendo, pero usted sigue siendo el "juguete" más importante para su desarrollo.

47 | Situaciones especiales

Cuando alguno de los niños tiene una discapacidad física o mental

Es un poco más frecuente que los gemelos (trillizos, cuatrillizos, etcétera) padezcan discapacidades físicas y mentales. Estas discapacidades pueden estar relacionadas con problemas congénitos (inherentes), condiciones uterinas o complicaciones en el embarazo y el parto. Incluso cuando se practica una intervención para solucionar el problema de salud, para cuidar a un bebé o un niño discapacitado, los padres deben pasar más tiempo en casa y se requiere una mayor asistencia médica. El trabajo y la ansiedad adicionales ocasionados por esta situación pueden hacer que aumente el nivel de estrés que los padres ya están experimentando.

Si alguno de sus bebés padece una discapacidad, es posible que ésta influya en el proceso afectivo. Cuando los padres deben pasar más tiempo cuidando a un bebé determinado, es probable que se desarrolle un lazo más temprano y más profundo. Sin embargo, desarrollar un lazo con un bebé "imperfecto" puede tardar más tiempo, así como toma tiempo llorar la pérdida de una fantasía "perfecta". La presencia de otro(s) bebé(s) "perfecto(s)" complica este proceso, ya que después del parto el (los) bebé(s) perfecto(s) responde(n) más, y una relación se desarrolla de manera natural con el (los) que puede(n) interactuar antes.

Cualquier dificultad para formar los vínculos afectivos y encariñarse puede ser superada, por supuesto, pues una discapacidad no invalida la necesidad y el derecho del bebé a desarrollar una estrecha relación con su madre y su padre. Probablemente necesitará, más que el otro (los otros), que sus padres reconozcan y fomenten sus fortalezas a la vez que aceptan sus debilidades y le ayudan a superarlas.

Hospitalizar a alguno de los bebés

La hospitalización de uno de los bebés afecta al otro (o a los otros) porque el que debe ser hospitalizado suele necesitar más la presencia de sus padres. Y aunque las necesidades de ese bebé están en primer plano, todos los bebés necesitan interactuar con sus padres "en persona". Por eso, los padres suelen debatirse cuando uno de sus bebés debe ser hospitalizado.

Hay ocasiones en las que la hospitalización es opcional y en las que se puede retrasar el tratamiento sin correr riesgos. También hay procedimientos y tratamientos que se pueden realizar en otro espacio. En estos casos, y en cuanto se han explicado las circunstancias, es probable que el médico esté dispuesto a posponer el tratamiento o a utilizar un espacio de consulta externa.

Cuando la hospitalización es inevitable, los padres pueden hacer todo tipo de arreglos con el hospital. Algunos llevan al otro bebé (los otros) con ellos para dormir todos juntos en la habitación del bebé hospitalizado. Para hacer esto se necesita la cooperación del personal del hospital, pero los bebés se benefician de la presencia de los otros y las madres también se sienten mejor.

Otros padres se organizan para que el otro bebé (los otros) visite(n) al bebé hospitalizado y a la madre o al padre que se está quedando con él. Algunos hospitales para bebés tienen residencias especiales para las familias de los pacientes, pero éstas suelen estar reservadas para las situaciones que requieren una larga estadía.

Probablemente, los padres se turnarán o le pedirán a un pariente que se quede un momento con el bebé hospitalizado para hacer un breve viaje a la casa y pasar tiempo con el otro bebé (o los otros), o cuando alguien lleve al otro bebé (o a los otros) al hospital a visitar al padre o la madre que se está quedando ahí. Cuando no es posible que todos los bebés duerman juntos durante la hospitalización de uno, las madres necesitarán un extractor eléctrico para poder producir leche para todos.

La mayoría de los hospitales no son muy estrictos con las normas acerca de las visitas, y esto es muy útil si un niño más grande debe ser hospitalizado. En ocasiones, los directivos de los hospitales hacen excepciones y permiten que los hermanitos visiten al que está enfermo.

Los vínculos entre los gemelos, los trillizos, los cuatrillizos, etcétera, son muy fuertes; por eso, es muy importante comunicarles constantemente que el otro está bien. Los que se quedan en casa tienden a pensar que el hermanito hospitalizado está peor de lo que en realidad lo está. Tomar fotos instantáneas de los que están en casa y del que está en el hospital, y hablar por teléfono, les ayuda a todos a sobrellevar la hospitalización del que está enfermo.

Los padres solteros

Ser una madre soltera o un padre soltero no significa que no necesitará ayuda para cuidar a sus bebés. La crianza de gemelos, trillizos, cuatrillizos, o más, suele ser una labor monumental para las familias que cuentan con los dos padres. Por tanto, los padres solteros necesitan más apoyo externo tanto físico como emocional. Al igual que todos los padres de dos hijos o más, a los padres solteros les ayuda contar con una red de apoyo que incluya otros padres solteros (ver apartado 30).

Las agencias de servicios sociales suelen conocer otras fuentes para ayudar los padres solteros cuando la ayuda necesitada no está disponible. A veces, los padres solteros con dos hijos o más califican para ciertas ayudas que no están disponibles para los padres solteros con un solo hijo.

La muerte de uno de los gemelos, trillizos o más...

La llegada de más de un bebé suele crear gran expectativa. Sin embargo, la tasa de mortalidad fetal e infantil es mayor en los embarazos y los partos múltiples porque surgen más complicaciones. Cuando alguno de los bebés muere durante el embarazo o en el parto, los padres viven el duelo de perder a un bebé único y precioso y, además, la pérdida del conjunto: "los gemelos", "los trillizos", "los cuatrillizos", etcétera.

El proceso del duelo tarda un tiempo y en ocasiones se necesita ayuda profesional. También hay grupos de apoyo para los padres que pierden a uno de los niños ya más grandes.

La muerte fetal o neonatal de uno de los bebés

La muerte de uno de los bebés durante el embarazo o al nacer puede afectar el proceso afectivo con el bebé (o los bebés) que sobrevive(n). Es difícil encariñarse con uno(s) y hacerle el duelo al otro. Muchos padres dicen haberse enfocado primero en establecer los vínculos con el (los) sobreviviente(s). Estos padres "pospusieron" el duelo por el que murió mientras establecían los vínculos con el (los) sobreviviente(s), pero

de todos modos describen haber padecido un dolor abrumador una y otra vez.

La pérdida de cualquier bebé es devastadora. A los parientes y los amigos les cuesta mirar a los padres a los ojos y
consolarlos y, a veces, hay quienes dicen cosas inadecuadas
como: "Bueno, al menos tienes un bebé sano", como si eso
tuviera que ser suficiente. La muerte de cualquiera de los bebés
es una pérdida inaceptable. El hecho de que los padres se
alegren por el (los) sobreviviente(s) no minimiza ni le quita
importancia a la vida y la muerte de otro. La tristeza no es
mayor cuando muere el bebé de un embarazo individual.

La muerte de uno de los niños más grandes
Cuando muere uno de los gemelos (trillizos, cuatrillizos, etcétera) durante la infancia, los padres deben sobrellevar la
pérdida de un hijo amado, y tanto los padres como los hermanos deben sobrellevar la pérdida de la identidad del grupo, además del efecto desolador que esto tiene en los hermanos. Si hay hermanos de otras edades, éstos también sufrirán,
pero el dolor del gemelo, los trillizos o cuatrillizos sobrevi-
vientes es más intenso. Los padres deben guiarlos a todos a
través de un período terrible, en el que sus propias reservas
interiores están agotadas. Además de los recursos disponibles
para el manejo de duelo para los padres, también hay recursos para los hermanos y para los niños que deben hacer frente a la muerte.

Preguntas y respuestas

Mi obstetra se refiere a mi embarazo múltiple como "de alto riesgo". ¿Esto quiere decir que es probable que les pase algo a mis bebés?

No, ¡en absoluto! Muchos padres se asustan con este término, pero esto sólo quiere decir que la probabilidad de que se presente una complicación durante el embarazo o en el parto es mayor que si estuviera esperando un solo bebé. Como está esperando más de uno, el obstetra monitoreará su embarazo más de cerca para estar preparado en caso de que surja una complicación. Pero no permita que esto nuble la alegría y la emoción de su embarazo, pues hay muchos gemelos y trillizos que llegan al mundo sin ninguna complicación. Cuanto mayor sea el número de bebés, mayor será el riesgo, pero gracias a una asistencia médica cuidadosa muchas mujeres han logrado prolongar más que nunca el embarazo de más de tres bebés. Además se han hecho grandes avances en las unidades de cuidados intensivos neonatales para proporcionar un mejor cuidado para los bebés.

Mi suegra dice que todos los bebés nacen prematuros y que yo no puedo hacer nada para evitarlo, ¿tiene razón?

Aunque un 50 por ciento de los gemelos nace antes de las 37 semanas de gestación, la duración promedio de los embarazos gemelares es de 36,2 semanas (ese promedio disminuye unas tres semanas por cada bebé adicional). Muchos embarazos gemelares llegan a término y los gemelos nacen con pesos considerados normales incluso para un solo bebé. Un cuidado prenatal adecuado, con una supervisión constante por parte del obstetra y una buena dieta aumentan las posibilidades de que el embarazo llegue a término, sin importar cuántos bebés esté esperando.

Mis amigas dicen que es muy probable que tenga problemas para amamantar, ¿es verdad esto?
La lactancia se complica al tener dos bebés o más, sin importar cómo decida alimentarlos. Si empieza a amamantar o extraer la leche poco después del parto, y sigue amamantando o extrayendo constantemente (de 8 a 12 veces en 24 horas), con los bebés bien agarrados al pecho, las madres de dos bebés o más suelen sufrir menos de obstrucción o resequedad en los pezones, o dificultades para que el bebé se agarre. Para "enseñarles" a los bebés prematuros o enfermos se necesita ser más paciente y persistente, pero la mayoría de los bebés logran aprender con el tiempo. Retrasar o saltarse una comida, factores que contribuyen a la obstrucción de los conductos y al desarrollo de infecciones, puede tener un impacto muy fuerte en la producción de leche. Póngase en contacto con una líder de la Liga de la Leche durante el embarazo para que le explique cómo empezar a amamantar de la mejor manera, o consulte más tarde si tiene algún problema.

Mis amigos y parientes me dicen que no podré amamantar a mis hijos porque no podré producir suficiente leche. ¿Es cierto esto?
Por fortuna, a la naturaleza no se le olvidó que las mujeres pueden tener más de un bebé. La lactancia opera según el prin-

cipio de que la demanda determina la oferta. Cada vez que amamanta a un bebé o extrae, le está diciendo a su cuerpo que continúe o incremente la producción de leche. Cuanto mayor sea la cantidad de bebés que está amamantando (o alimentando con leche materna) y cuanto mayor sea la frecuencia en que amamanta o extrae la leche, mayor es la cantidad de leche que debe producir su cuerpo. Si sólo está extrayendo, debe obtener entre 500 y 1.000 mililitros después de 7 a 14 días, con unas 8 sesiones (100 minutos) en 24 horas. Usted sabrá que sí está produciendo suficiente leche para sus hijos si cada uno: (1) come entre 8 y 12 veces, (2) moja entre 6 y 10 pañales y (3) produce 3 o más evacuaciones intestinales al día. Además, cada bebé debe ganar entre 110 y 220 gramos por semana. Si en algún momento siente que no está produciendo suficiente leche, póngase en contacto con una asesora en lactancia o con una líder de la Liga de la Leche.

Sólo pude ver a mis bebés prematuros cuando ya tenían 24 horas de edad, así que perdimos ese vínculo del que tanto hablan mis amigas. ¿Podré amar a mis bebés, o ellos a mí, tanto como mis amigas aman a los suyos?

¡Sí! La creación de los lazos afectivos, de un vínculo duradero entre los padres y cada uno de sus bebés, es un proceso constante que empieza durante el embarazo y se prolonga a lo largo de toda la vida. Usted y sus bebés tuvieron un comienzo difícil, pero lo superarán. Quizá tenga que dedicarles más tiempo y esfuerzo, pero usted sí podrá conocer, amar y apreciar a cada uno de sus bebés por separado.

Mis bebés salieron del hospital uno por uno. Y aunque yo estaba emocionada por tener más de un bebé y los amo a todos, me avergüenza admitir que me siento más cercana al que llegó primero a la casa, ¿esto es normal?

Muchas madres dicen haberse sentido más cercanas al bebé al que pudieron atender primero. Usted tuvo el tiempo y la oportunidad para conocer a ese bebé a solas, pero no podrá volver a darse ese lujo después de la llegada de los otros. No niegue sus sentimientos. Concéntrese en responder a las necesidades de todos y en encontrar momentos para estar a solas con cada uno. Con el tiempo, se sentirá cercana a todos.

Desde que tuve cuatrillizos me siento muy aislada. Mis amigas no tienen los mismos problemas ni las mismas preocupaciones. ¿Qué puedo hacer?

Reconozca que su situación es distinta a la de sus amigas y que muchas de sus preocupaciones son específicas de las familias con más de un recién nacido. Al tener gemelos, trillizos, cuatrillizos o más, la mejor fuente de apoyo son otros padres con el mismo número de bebés, con quienes puedan compartir sus ideas sobre la crianza y comentar sus experiencias. Pídale al pediatra, a una líder de la Liga de Leche o a un grupo de apoyo para familias múltiples que le ayude a contactar a otros padres con cuatrillizos. También hay muchas páginas en internet que ofrecen listas de preguntas y respuestas, o grupos de chat que le pueden ayudar a disminuir esa sensación de aislamiento.

¿Qué les puedo decir a las personas que me dicen que tener gemelos es igual a tener dos hijos de edades muy cercanas?

Estas dos situaciones son muy distintas. Por lo general, la gente que hace estos comentarios está intentando comprender su situación, y ésta suele ser la analogía que más se les parece. No se trata de que una situación sea más fácil o más difícil, sencillamente son diferentes.

Cuando los niños nacen en distintos momentos, los padres pueden verlos y tratarlos inmediatamente como dos individuos distintos porque empiezan a conocer al mayor antes de que llegue el segundo. Los padres de gemelos, en cambio, tienen que empezar a conocerlos a los dos al mismo tiempo. Incluso cuando sólo los separan nueve meses, cada uno está en un etapa muy distinta del crecimiento y del desarrollo, y estas diferencias influyen en la manera como los padres se relacionan con ellos y en la manera como ellos se relacionan entre sí. Faltan dos o tres años para que el comportamiento de dos hermanos de edades cercanas se parezca al de unos gemelos. En ese momento, las similitudes dependen del temperamento y del estilo de comportamiento de los niños. Además, entre los hermanos que no son gemelos rara vez se presenta la tercera personalidad "gemela".

Estoy pensando en tener otro bebé. ¿Qué probabilidades tengo de volver a tener gemelos?

Si sus gemelos son fraternos (dicigóticos) y usted no se sometió a ningún tratamiento de reproducción asistida, y además hay una historia de gemelos fraternos en su familia materna, es probable que haya heredado una tendencia a una ovulación doble o múltiple. Si este es el caso, ahora es aun más propensa que en el primer embarazo a concebir más de un bebé.

La probabilidad de que tenga otros gemelos idénticos (monocigóticos) son más o menos iguales a las que tenía antes, pues se considera que la concepción de estos gemelos sucede al azar.

Hay otros factores, tales como una edad mayor en el momento de la concepción y una historia de embarazos anteriores. Las mujeres que se someten a tratamientos de inducción ovárica o medicamentos para la fertilidad deben preguntar si están tomando los mismos o unos distintos. Los medicamentos y la sensibilidad de las mujeres a estos medicamentos influyen en la concepción de más de un bebé.

Mi hermana me dijo que hay una incidencia muy alta de abuso infantil en las familias que tienen gemelos, trillizos o más. Yo quiero tener a mis bebés, pero ahora estoy preocupada. ¿Qué debo hacer?
Ser padres de gemelos, trillizos o más es más difícil que ser padres de un solo hijo, y algunos estudios han encontrado una incidencia más alta de abuso entre las familias con más de un hijo. Sin embargo, el abuso es la excepción y no la regla en estas familias. Cuando las víctimas son varios niños, el comportamiento tiende a seguir un patrón similar.

Hay ciertas teorías acerca del abuso en las familias con gemelos, trillizos o más, pero la investigación es limitada. Muchos factores pueden contribuir con el estrés que implica criar a varios hijos al tiempo. Al tener que cuidar a dos, tres o cuatro bebés o niños pequeños, y tal vez a un hijo mayor (o varios), algunos padres se sienten en un estado crónico de estrés y fatiga. El proceso afectivo es más complicado. Los gemelos (trillizos, cuatrillizos, etcétera.) tienden a tener más dificultades de salud, y las diferencias de temperamento pueden ocasionar distintas respuestas por parte de los padres. Aunque todos estos factores pueden contribuir al surgimiento de una situación en la que haya riesgo de abuso, ninguno es insuperable.

La Cruz Roja y muchas agencias de servicios sociales ofrecen clases para padres primerizos así como para aquellos que tienen dificultades para manejar la ira. También es bueno desarrollar una red de apoyo (vea la respuesta a la pregunta acerca de la sensación de aislamiento en la página 274).

Los padres que sienten que podrían llegar a lastimar a uno de sus bebés quizá necesiten una terapia individual.

Me acaban de recetar reposo en cama, pero no sé muy bien qué significa.

El reposo en cama puede tener distintos significados dependiendo de su situación. Prepárese para hacerle muchas preguntas al obstetra. Pídale que le cuente lo que han descubierto las investigaciones acerca del reposo en cama en embarazos múltiples como el suyo. Pregúntele qué tan estricto debe ser su reposo. ¿Qué actividades relacionadas con el cuidado del hogar y el trabajo puede hacer y cuáles están prohibidas? ¿Cuánto tiempo durará el reposo? ¿Afectará esto el cuidado de otros hijos o de su esposo? ¿Hay algún tipo de ejercicio que pueda hacer para mantener los músculos fortalecidos y una buena condición cardiovascular? ¿Necesitará otros tratamientos, como medicamentos tocolíticos para detener las contracciones o un monitoreo? Las respuestas del obstetra variarán dependiendo de su condición y del grado de precaución necesario en su caso. Con seguridad se le ocurrirán otras preguntas a medida que transcurre el tiempo en reposo, asegúrese de comunicárselas de inmediato al obstetra.

Glosario

Alfafetoproteína: una proteína del feto que atraviesa la placenta y pasa al torrente sanguíneo de la madre. Durante el segundo trimestre del embarazo se puede realizar un examen de sangre que determina la cantidad de alfafetoproteína en la sangre de la madre, la cual suele ser más elevada en los embarazos múltiples.

Alto riesgo: embarazo en el que se pueden presentar una o más complicaciones.

Bajo peso al nacer: cuando los bebés pesan menos de 2500 gramos al nacer.

Cesárea: operación quirúrgica para extraer al bebé a través de una incisión en el abdomen y el útero de la madre.

Cerclaje (cervical): procedimiento quirúrgico por medio del cual se insertan unas suturas en el cuello uterino para prevenir o limitar la dilatación cervical en mujeres que tienen una historia recurrente de aborto espontáneo o parto prematuro debido a una condición conocida como cuello uterino debilitado o "incompetente".

Cigocidad: se refiere al origen de los gemelos como cigotos separados o como un cigoto que se separa en dos. Ver *gemelos dicigóticos* y *gemelos monocigóticos*.

Conteo de las patadas: registro del número de movimientos de los bebés durante una hora específica todos los días en las últimas 12 (gemelos) o 15 (más de dos bebés) semanas de embarazo que proporciona claves sobre el bienestar de los fetos.

Corticosteroides: medicamentos administrados durante un episodio de parto prematuro para ayudar a "acelerar" el desarrollo de los pulmones fetales.

Cuello uterino débil o "incompetente": dilatación indolora del cuello uterino, usualmente durante el segundo trimestre del embarazo, que ocasiona un aborto espontáneo.

Ecografía: ver *ultrasonido*.

Estimulación ovárica: estimula la maduración de más de un óvulo en cada ciclo menstrual por medio de medicamentos para inducir la ovulación o de hormonas.

Estriol (salival o urinario): examen para medir el estrógeno producido por la placenta, que se encuentra en la sangre, la saliva y la orina de la madre y puede proporcionar pistas sobre el bienestar de la madre y del feto.

Fecundación: unión de un óvulo y un espermatozoide en la que la combinación de su información genética da lugar a una nueva célula llamada cigoto.

Fecundación in vitro: fecundación del óvulo en un laboratorio.

Fibronectina fetal: proteína que suele estar presente en las secreciones vaginales antes de la semana 22 del embarazo pero ausente en las secreciones desde la semana 22 hasta la semana 36; la prueba de la fibronectina fetal se usa para predecir el parto prematuro.

Gemelos dicigóticos: fecundación separada de dos óvulos y dos espermatozoides que da lugar a dos cigotos genéticamente diferentes; llamados también gemelos fraternales.

Gemelos monocigóticos: fecundación de un solo óvulo y un espermatozoide que da lugar a un cigoto que se divide en dos cigotos que comparten la misma información genética.

Gestación: término para referirse a la duración del embarazo, que en los humanos dura hasta 38 ó 42 semanas.

Gonadotropinas: agentes hormonales utilizados para estimular el desarrollo del folículo (óvulo) en los ovarios.

Gonadotropina coriónica humana: hormona secretada por el embrión al principio del embarazo, que aumenta a medida que el embarazo progresa y se encuentra en grandes cantidades en las primeras semanas de un embarazo múltiple.

Grado de madurez placentaria: examen por medio de una ecografía para medir las calcificaciones asociadas con el "envejecimiento" de la placenta.

Hiperémesis gravídica *(hyperemesis gravidarum)*: vómitos severos y prolongados durante el embarazo que pueden afectar la hidratación adecuada y el aumento de peso de la madre.

Idioglosia: desarrollo de un idioma único y privado que sólo entienden los niños involucrados en él.

Índice de líquido amniótico: ecografía que ayuda al obstetra a medir y comparar la cantidad de líquido amniótico en el saco amniótico de cada uno de los bebés, lo que es valioso en caso de sospecha o diagnóstico de ciertas condiciones prenatales.

Inseminación intrauterina: introducción directa de esperma dentro del útero a través de un catéter, que suele combinarse con técnicas de estimulación ovárica, para incrementar la posibilidad de concebir en parejas que padecen problemas específicos de fertilidad.

Lactógeno placentario humano: hormona producida por la placenta que pasa a la sangre de la madre y proporciona pistas sobre el funcionamiento de la placenta.

Método de "madre canguro": contacto piel a piel entre la madre o el padre y uno o dos bebés prematuros.

Monitoreo electrónico: método para monitorear la frecuencia cardiaca del feto.

Parto prematuro: el nacimiento de un bebé antes de la semana 37 de gestación.

Pequeño para la edad gestacional: disminución en la proporción entre el peso y el tamaño de un feto comparado con los parámetros normales para la edad gestacional; puede estar relacionado con el retardo del crecimiento intrauterino.

Perfil biofísico: el uso de ecografías y pruebas sin estrés para examinar el bienestar del feto por medio de un análisis del grado de madurez placentaria y el índice del líquido amniótico.

Placenta: órgano en contacto con la pared uterina a través del cual se transfiere oxígeno y nutrientes al feto y se eliminan sus desechos.

Preeclampsia: condición caracterizada por un aumento en la presión arterial, presencia de proteína en la orina y retención de líquidos que puede ocasionar hinchazón en el cuerpo; otros síntomas son dolores de cabeza, visión de manchas, dolor en la parte superior del estómago y/o convulsiones. También se le conoce como *hipertensión inducida por el embarazo* o *toxemia*.

Prueba sin estrés: examen para observar el bienestar de los fetos por medio de un monitor fetal externo que mide la aceleración de la frecuencia cardiaca de cada feto con el movimiento del mismo.

Reducción multifetal: procedimiento que reduce el número de fetos en embarazos de más de dos bebés.

Retardo del crecimiento intrauterino: cuando el peso del feto está por debajo del percentil 10 para la edad gestacional.

Saco amniótico: el saco que rodea al feto, compuesto de dos membranas (una interior, o *amnion*, y una exterior, o *corion*) y que está lleno de líquido amniótico; también se le suele llamar "bolsa de aguas".

Síndrome de transfusión fetal: condición que se presenta solamente cuando los gemelos monocigóticos comparten una placenta; en este caso, se establecen conexiones entre los vasos sanguíneos que ocasionan una desproporción en la cantidad de oxígeno y nutrientes que recibe cada feto.

Técnicas de reproducción asistida: el uso de estimulación ovárica y/o procedimientos médicos para incrementar las probabilidades de concebir en las parejas a las que se les ha diagnosticado un problema de fertilidad.

Tocolíticos: medicamentos utilizados para contener o detener el trabajo de parto prematuro y así retrasar o posponer el alumbramiento.

Transferencia intratubaria de gametos: transferencia quirúrgica del óvulo y el espermatozoide a la trompa de Falopio para la fecundación.

Ultrasonido: método de observación del feto en el útero por medio de ondas sonoras, conocido también como *ecografía*.

Unidad de Cuidados Intensivos Neonatales (UCIN): sala con equipos especiales y personal entrenado para monitorear muy de cerca a los bebés prematuros o enfermos.

Velocimetría doppler: examen por ultrasonido que permite medir patrones del flujo sanguíneo en el cordón umbilical del feto.

Vigilancia fetal: uso de pruebas de detección y análisis para monitorear el bienestar del feto.

Virus sincitial respiratorio: una de las causas más comunes de las infecciones respiratorias en los bebés y los niños; aunque tiene síntomas leves, puede ocasionar infecciones graves en los bebés prematuros y sobre todo en los que están en grupos de alto riesgo.